U0114380

思省之資圖與銓考

張鼎鍾 著

臺灣學生書局印行

謹 以 此 書 紀 念

父　　薄鷗先生

先

母　　孝餘夫人

Reflections on Civil Service System

and

Library/Information Science

Margaret C. Fung

Taiwan Student Book Company
Taipei, Taiwan, ROC

考銓與圖資之省思

目　次

附　　錄

索　引

表圖目次

序

　　自民國七十九年參與為國掄才的神聖工作後，除了在典試工作方面，運用所專長的教育和圖書資訊專業知能外，更汲取人事行政的新理論及實務經驗，針對這個領域獨立行使職權，研訂考銓政策與審議相關法令；也抽空繼續從事圖書資訊專業教學及研究，以期對我國圖書館事業仍略盡棉薄，這可謂是生命中豐富的六年。曾將所見、所聞、所感撰寫短文，刊載於學術刊物或報章中。轉瞬間，我周甲子生命中的百分之十，六年的任期，即將屆滿。在人生歷程中，能有百分之十的歲月潛心致力於某些特定工作而稍有績效，的確是值得珍惜而感懷的。

　　在本屆（第八屆）考試委員的工作即告一段落的時候，將六年來所寫的部分文章彙集成冊付梓，與大家分享拙見和經驗，亦藉此向長輩、先進、同仁和親友所給予的提攜、鞭策和愛護表示最誠摯的謝意。

　　本書含二十篇文章，依性質分為：考銓篇、圖資（圖書及資訊）篇。考銓篇中收集了我對人事行政、考銓政策和業務的意見，包括我在第二階段修憲時期，對憲法增修有關考試院功能與職掌的看法；

分析考試與分發任用間之實務問題，並運用人力規
劃理論，提出改善作業的建議；探討護士荒的主因
及解決之道；以及赴國外考察人事行政，個人所獲
得的心得。其它由本人召集的研究工作或與同仁參
訪之考察報告，如「公務人員培訓體制建立之研究
報告」、「考試院日、加、美地方文官制度考察報
告」、「巴西、阿根廷、秘魯及巴拿馬四國考銓暨
人事行政考察報告」及「東北歐公務人力增補暨培
訓考察報告」等，則已出版單行本。

　　圖資篇涉及圖書資訊多方面的理論與實務；
「國家圖書館與書目控制」、「漢學資料書目控制」
、「國際標準書號之應用問題」及「圖書館館藏發
展政策」是屬於圖書資訊技術服務方面的探討。
「線上資料庫之檢索服務及展望」、「資訊時代的
參考服務」是針對資訊時代讀者服務方面所作的闡
釋。「國家建設與圖書資訊博物館人才之培育」、
「資訊服務教育之整合」，則討論有關圖書資訊教
育的新趨勢與作法。亦撰文論及現代圖書館設備對
館舍規劃之影響。有關圖書館法規方面，以英文撰
寫 Library Laws of the Republic of China on Taiwan，討論
圖書館法的內容與立法過程；以「國家圖書館組織
條例初探」為題，發表個人對國家圖書館組織條例
之修訂與更名問題的看法。有鑑於中國圖書館學會

亦以專精的學術成果參與國際間專業活動，提昇我
國在國際上的地位，促進國際間對我國之了解，近
年來進行的結果頗有績效，特撰文分析中國圖書館
學會國際專業活動，並提出今後發展方向與方法的
建議。另有討論婦女問題的「國際家庭年談女性與
家庭」及個人規劃生涯的理念二篇文章列為本書的
附錄。

　　本人深深覺得慶幸的是，以上研究的結果和建
議，有助於考試院公務人員保障暨培訓委員會以及
國立政治大學圖書資訊學研究所之成立。六年來，
承吳淑華小姐提供細心盡職的襄助，在此書付梓時
又承其與倪妙婷小姐協助，幷蒙陳友民先生編製索
引、華城電腦公司陳幸良先生以電腦排版，以及舍
妹鼎鈺予以指正，辛勞之至，特此致謝。匆匆收集
以上文章付印，編校疏漏之處必多，尚請　先進和
同道惠予匡正。

張鼎鍾 謹　識

民國八十五年於玉衡樓

考　銓　篇

論考試院職掌與功能

在第二階段修憲研究期中，各方對考試院的職掌、功能和定位有各種不同的看法。有人認為憲法第八十三條所列考試院所掌管的十一項事項中，只應保留考試。而我們瞭解　國父遺教上有關考試院的功能是廣義的功能，重要的是「考用合一」，人事這一部分包括：任用、銓敘、考績、級俸、陞遷、保障、褒獎、撫卹、退休和養老等事項。假設把涉及人事行政這十部分都劃歸其他單位主管，也就是在實質上把中華民國的五權憲法改為三權憲法，這是相當不智之想法。

國父孫中山先生深深瞭解我國的國情、中國人的民族性和文化背景。他之提倡五權分立，就是確認「制衡」的作用。他認為我國政府的有效運作，必須要建立在「制衡」上，他體認到我國政府單位在「用人」、「用錢」方面要有獨立、中立性的文官制度和審計制度來加以制衡。假如考試院虛列為五權之一，有名無實，只有狹義的考試權，何以對國父在天之靈？

執政黨憲改策劃小組於八十一年初，針對考試

院的定位提出三個方案。筆者站在學理、務實、及客觀的立場作一分析，所執的立場與個人擔任考試委員無關。因為關心整體憲法的架構和體制，所以提出個人的看法。

方案甲—憲法本文案：

依據憲法第八十三條對考試院職掌規定之精神與原則，行政院人事行政局併入考試院，確立考試院為全國最高考試及人事行政機關，掌理考試、任用、銓敘、考績、級俸、陞遷、保障、褒獎、撫卹、退休、養老等事項。

後一段「確立考試院為全國最高考試及人事行政機關掌理考試、任用、銓敘、考績、級俸、陞遷、保障、褒獎、撫卹、退休、養老等事項」，維持原條文，確定人事之超然及中立地位，頗為得體。但行政院人事行政局原為行政院之人事機構，原來也受考試院指揮監督，把這個機構歸併到考試院似乎無此必要。

方案乙—現制改進案：維持現行制度，行政院設人事行政局，考試院之職權擬作如下之調整：
一、憲法第八十三條擬予修訂，規定考試院為國家最高考試機關，掌理下列事項：

㈠考試。

㈡公務人員之銓敘、保障、撫卹、退休。

㈢公務人員任免、考績、級俸、陞遷、褒獎之法制事項。

二、公務人員任免、考績、陞遷、褒獎之執行，由各用人及有關機關分別主管。

三、公務人員待遇、養老事項，由行政院主管。

　　據說此案主要在釐清考試院和行政院及其他各用人單位有關人事任免、考績、級俸、陞遷及褒獎各項的執行權。但憲法是一國之根本大法，似乎不宜過於瑣碎。維持現行制度，行政院得設人事行政局的意思，可納入憲法第五章—「行政」，增列以下條文：行政院得設人事行政機關，惟其人事考銓業務並受考試院之指揮監督；憲法第八十三條文字不予更動。有關人事行政業務之執行，原為技術層面的部分，可由考試院以法律授權方式處理，似乎是個妥善的折衷辦法。

　　方案丙—劃分考試權與人事行政權案：以修改憲法之方式，明定將人事行政權自考試院移轉歸屬行政院。組織上，考試院調整為掌理考試之「全國最高機關」，將公務人員之任用、銓敘、考績、級

俸、陞遷、保障、褒獎、撫卹、退休、養老等事項
職權，由各用人及有關機關分別主管。

此案誠如前述的說明，違反了 中山先生設考
試院的原意，違反了「文官中立制度」的基本理念，
動搖了五權架構。尤其是國家已邁入民主政治，在
「政黨政治」的時代裡，一旦人事權全部掌握在用
人機關手上，大家不能不想到「一朝君子一朝臣」
的可能性。文官制度不中立後可能造成的紊亂、流
弊、不安定以及公務員無保障的可能性的確值得大
家深思。

國之大老 謝前副總統東閔先生曾語重心長地
指出：修憲維持最小幅度，以免引起亂源，確是明
智之言，尚待大家深思和慎思。這不是爭權奪勢的
事，而是維護修憲原來崇高的目標及五權落實憲法，
確定國家現代化的歷史性任務。

本文曾刊於＜聯合報＞，（民國81年3月10日），第11版。

談人力規畫

前言

　　對人力要作有系統和整體規劃的觀念直到近年來才為人所肯定。傳統上，對人員錄用的想法和作法都屬於機動性。用人單位要用人時，就用人，也有人可用。小的組織和小的單位，因為變化小，所需的人才有限，流動性也不太大，所以對於「未雨先綢繆」，事先做規劃的重要性也就不太重視。近年來社會變遷、結構變化，科技發展迅速，使大家體認出規畫的必要性；尤其在政府用人方面更需要認真規畫。公務員人數龐大、等級多，既需要通才，也需要專才；質與量要兼顧，也得重視公帑之適當支配。對人力要作充分而有效的運用；系統化的人力規畫因此被公認為不可忽視的要務。本文首先探討為何要作人力規畫，而後以統計資料說明近六年來我國公務員任用計畫、考試與分發種種屬於人力規畫層面的狀況。最後提出人力規畫作業程序與步驟，作為改善人力規畫方法之參考。

爲何要作人力規畫？

　　為什麼要對人力作系統性規畫，當然是為了要預估未來人力的需求，提供適當的人力而充分發揮工作績效，使各單位能圓滿地運作達成任務。以下幾點也是促使我們要作人力規畫的理由：

一、因為要協助各機關去因應科技和法令等所造成的變化。這些變化足以影響個別職掌，對個別人員技能的要求也會改變，致而影響到所需人員的數量與類型。某些方面的人力可能有缺乏的情況，也可能有些職位變成多餘，這些情況都可以藉人力規畫而加以界定。

二、每一個龐大的組織裡，都有各種不同的人才，目前的趨勢是逐漸轉變到要用很多行政與專業人才。這一類高素質的才幹卻相當的缺乏，要任用或培植這類人才都頗費時日。缺乏這類人才的情形使用人機關發生重大困難，尤其是科技的進步也改變對人才資格的要求。以前有些工作需要學士學位就可勝任，現在則需要有碩士學位的人才能勝任；也有些職位需要更高資歷的人，藉人力規畫去了解那些領域的職位需

要那些資歷的人？那些職位需要培養接班的繼任人員？

三、目前社會上每一種作業都盛行策略性的計畫（Strategic Planning），每個行業的主管都應評估這個機構在當前環境裡運作有什麼優劣之處，再設定目標，而後決定怎樣執行。人力資源規畫是策略性計畫的主要部分。

四、人力規畫的結果可提供人事業務如甄選、升遷、褒獎及訓練等基本資料，作為人事行政的根據。

我國公務人員人力規畫

我國公務人員一向是採取「考用合一」的制度。要實行「考用合一」必須先由政府各機關提出用人計畫，將缺額、增額、退休、離職之人員作一預估，照各用人機關業務的需要，預估各項人才需要的數字。考選部根據這個數字，辦理各種考試，錄取相當的人數，分發到各單位去工作。高普考試是文官主要的來源，其他有多種特考，則是因應特殊人才之需求而辦理的。

每一年度銓敘部和行政院人事行政局發出通知，要求各級機關填報下一年度所需的用人數字。考選

部根據這調查的結果來舉辦公務員任用考試，甄選人才以備分發任用。這就是說，我國對公務員的人力規畫著重在任用計畫的填報。茲以過民國七十五年至八十年間我國任用計畫所需人數、考試到考人數、考試及格人數、分發人數來作一個粗略的分析，希望藉這些數據喚起大家對此現象的重視，繼而發現問題所在，研究解決的途徑。

過去六年來舉辦的公務員考試有：高等考試、普通考試、甲等特考、丁等特考、電信人員特考、水運人員特考、民航人員特考、郵政人員特考、軍法人員特考、體育行政人員特考、關務人員特考、外交人員特考、國際新聞人員特考、國際商務經濟人員特考、環保人員特考、中央銀行行員特考、山地行政人員及技術人員特考、基層人員特考、鐵路人員特考、警察人員特考、稅務人員特考、金融人員特考、保險人員特考、調查人員特考、司法人員特考、研考人員特考及退除役人員特考等❶。其中每年都舉行的是：高考、普考、外交人員特考、國際新聞人員特考、警察人員特考、調查人員特考、司法人員特考等七種，其他的二十餘種則視需要才舉行❷。詳見表一：

表 一

民國七十五年任用計畫需要人數、考試及格人數與實際分發人數統計分析表

考試種類	任用計畫需求人數	到考人數	及格人數	分發人數	及格人數占計畫人數比率	及格人數占到考人數比率	分發人數占及格人數比率	分發人數占計畫人數比率
高等考試	972	14,532	1,030	1,045	106.0%	7.1%	101.5%	107.5%
普通考試	936	41,972	1,023	1,058	109.3%	2.4%	103.4%	113.0%
甲等特考	98	570	139	117	141.8%	24.4%	84.2%	119.4%
丁等特考								
電信人員特考								
水運人員特考								
民航人員特考								
郵政人員特考								
軍法人員特考								
體育行政人員特考								
關務人員特考	200	7,466	211	211	105.5%	2.8%	100.0%	105.5%

表一之一

民國七十五年任用計畫需要人數、考試及格人數與實際分發人數統計分析表

考試種類	任用計畫需求人數	到考人數	及格人數	分發人數	及格人數占計畫人數比率	及格人數占到考人數比率	分發人數占及格人數比率	分發人數占計畫人數比率
外交人員特考	50	446	49	47	98.0%	11.0%	95.9%	94.0%
國際新聞人員特考	14	108	16	15	114.3%	14.8%	93.8%	107.1%
國際商務經濟人員特考								
環保人員特考								
中央銀行行員特考								
山地行政及技術人員特考								
基層人員特考	1,168	28,594	1,122	1,122	96.1%	3.9%	100.0%	96.1%
鐵路人員特考	1,138	15,893	1,138	1,138	100.0%	7.2%	100.0%	100.0%
警察人員特考	8,784	13,987	5,279	5,195	60.1%	37.7%	98.4%	59.1%
稅務人員特考								
金融人員特考								

表一之二

民國七十六年任用計畫需要人數、考試及格人數與實際分發人數統計分析表

考試種類	任用計畫需求人數	到考人數	及格人數	分發人數	及格人數占計畫人數比率	及格人數占到考人數比率	分發人數占及格人數比率	分發人數占計畫人數比率
高等考試	1,090	15,222	1,243	1,292	114.0%	8.2%	103.9%	118.5%
普通考試	1,136	36,385	1,500	1,626	132.0%	4.1%	108.4%	143.1%
甲等特考	#	95	12	2	#	12.6%	16.7%	#
丁等特考								
電信人員特　考								
水運人員特　考								
民航人員特　考								
郵政人員特　考								
軍法人員特　考	50	129	77	45	154.0%	59.17	58.4%	90.0%
體育行政人員特考								
關務人員特　考	150	2,790	200	200	133.3%	7.2%	100.0%	133.3%

註：「＃」記號，表示資料不全，甲等特考與司法人員特考資料不全，不予分析。

表一之三

民國七十六年任用計畫需要人數、考試及格人數與實際分發人數統計分析表

考試種類	任用計畫需求人數	到考人數	及格人數	分發人數	及格人數占計畫人數比率	及格人數占到考人數比率	分發人數占及格人數比率	分發人數占計畫人數比率
外交人員特考	50	365	38	34	76.0%	10.4%	89.5%	68.0%
國際新聞人員特考	13	106	12	12	92.3%	11.3%	100.0%	92.3%
國際商務經濟人員特考								
環保人員特考								
中央銀行行員特考	45	788	44	44	97.8%	5.6%	100.0%	97.8%
山地行政及技術人員特考								
基層人員特考	702	18,375	1,074	1,074	153.0%	5.8%	100.0%	153.0%
鐵路人員特考								
警察人員特考	13,773	17,725	7,177	5,059	52.1%	40.5%	70.5%	36.7%
稅務人員特考								
金融人員特考								

表一之四

民國七十七年任用計畫需要人數、考試及格人數與實際分發人數統計分析表

考試種類	任用計畫需求人數	到考人數	及格人數	分發人數	及格人數占計畫人數比率	及格人數占到考人數比率	分發人數占及格人數比率	分發人數占計畫人數比率
高等考試	1,486	15,071	1,677	1,694	112.9%	11.1%	101.0%	114.0%
普通考試	1,182	25,003	1,407	1,422	119.0%	5.6%	101.1%	120.3%
甲等特考	88	398	95	118	108.0%	23.9%	124.2%	134.1%
丁等特考								
電信人員特考	300	2,326	300	300	100.0%	12.9%	100.0%	100.0%
水運人員特考	80	581	80	80	100.0%	13.8%	100.0%	100.0%
民航人員特考	49	163	57	57	116.3%	35.0%	100.0%	116.3%
郵政人員特考								
軍法人員特考								
體育行政人員特考								
關務人員特考								

表一之五

民國七十七年任用計畫需要人數、考試及格人數與實際分發人數統計分析表

考試種類	任用計畫需求人數	到考人數	及格人數	分發人數	及格人數占計畫人數比率	及格人數占到考人數比率	分發人數占及格人數比率	分發人數占計畫人數比率
外交人員特考	50	183	41	39	82.0%	22.4%	95.1%	78.0%
國際新聞人員特考	12	85	12	12	100.0%	14.1%	100.0%	100.0%
國際商務經濟人員特考	20	114	20	20	100.0%	17.5%	100.0%	100.0%
環保人員特考								
中央銀行行員特考								
山地行政及技術人員特考	83	1,299	83	83	100.0%	6.4%	100.0%	100.0%
基層人員特考	1,096	13,205	1,543	1,543	140.8%	11.7%	100.0%	140.8%
鐵路人員特考	1,749	10,902	1,749	1,749	100.0%	16.0%	100.0%	100.0%
警察人員特考	13,863	16,053	6,977	6,912	50.3%	43.5%	99.1%	49.9%
稅務人員特考								
金融人員特考								

表一之六

民國七十八年任用計畫需要人數、考試及格人數與實際分發人數統計分析表

考試種類	任用計畫需求人數	到考人數	及格人數	分發人數	及格人數占計畫人數比率	及格人數占到考人數比率	分發人數占及格人數比率	分發人數占計畫人數比率
高等考試	2,810	16,679	2,979	2,993	106.0%	17.9%	100.5%	106.5%
普通考試	2,098	17,627	2,437	2,399	116.2%	13.8%	98.4%	114.3%
甲等特考								
丁等特考	1,461	50,618	2,301	2,300	157.5%	4.5%	100.0%	157.4%
電信人員特考	1,000	28,501	1,011	1,011	101.1%	3.5%	100.0%	101.1%
水運人員特考	25	235	26	25	104.0%	11.1%	96.2%	100.0%
民航人員特考								
郵政人員特考	3,600	15,096	3,938	3,938	109.4%	26.1%	100.0%	109.4%
軍法人員特考	50	148	60	46	120.0%	40.5%	76.7%	92.0%
體育行政人員特考	56	328	50	44	89.3%	15.2%	88.0%	78.6%
關務人員特考	520	1,867	416	416	80.0%	22.3%	100.0%	80.0%

表一之七

民國七十八年任用計畫需要人數、考試及格人數與實際分發人數統計分析表

考試種類	任用計畫需求人數	到考人數	及格人數	分發人數	及格人數占計畫人數比率	及格人數占到考人數比率	分發人數占及格人數比率	分發人數占計畫人數比率
外交人員特考	40	210	40	38	100.0%	19.0%	95.0%	95.0%
國際新聞人員特考	11	70	11	10	100.0%	15.7%	90.9%	90.9%
國際商務經濟人員特考								
環保人員特考	116	932	118	118	101.7%	12.7%	100.0%	101.7%
中央銀行行員特考	40	228	31	28	77.5%	13.6%	90.3%	70.0%
山地行政及技術人員特考								
基層人員特考	1,623	11,326	2,339	2,339	144.1%	20.7%	100.0%	144.1%
鐵路人員特考	1,319	7,151	1,319	1,319	100.0%	18.4%	100.0%	100.0%
警察人員特考	18,544	22,964	10,772	10,771	58.1%	46.9%	100.0%	58.1%
稅務人員特考	92	575	119	101	129.3%	20.7%	84.9%	109.8%
金融人員特考	238	1,822	469	450	197.1%	25.7%	95.9%	198.1%

表一之八

民國七十九年任用計畫需要人數、考試及格人數與實際分發人數統計分析表

考試種類	任用計畫需求人數	到考人數	及格人數	分發人數	及格人數占計畫人數比率	及格人數占到考人數比率	分發人數占及格人數比率	分發人數占計畫人數比率
高等考試	2,679	22,649	3,345	3,305	124.9%	14.8%	98.8%	123.4%
普通考試	2,829	30,761	3,956	3,937	139.8%	12.9%	99.5%	139.2%
甲等特考								
丁等特考								
電信人員特考	2,523	38,703	2,787	2,787	110.5%	7.2%	100.0%	110.5%
水運人員特考								
民航人員特考	51	148	60	60	117.6%	40.5%	100.0%	117.6%
郵政人員特考	4,500	26,549	4,528	2,871	100.6%	17.1%	63.4%	63.8%
軍法人員特考	80	116	79	77	98.8%	68.1%	97.5%	96.3%
體育行政人員特考								
關務人員特考	650	6,330	566	421	87.1%	8.9%	74.4%	64.8%

表一之九

民國七十九年任用計畫需要人數、考試及格人數與實際分發人數統計分析表

考試種類	任用計畫需求人數	到考人數	及格人數	分發人數	及格人數占計畫人數比率	及格人數占到考人數比率	分發人數占及格人數比率	分發人數占計畫人數比率
外交人員特考	60	327	53	40	88.3%	16.2%	75.5%	66.7%
國際新聞人員特考	22	144	22	20	100.0%	15.3%	90.9%	90.9%
國際商務經濟人員特考	25	120	32	28	128.0%	62.7%	78.5%	112.0%
環保人員特考								
中央銀行行員特考								
山地行政及技術人員特考								
基層人員特考	1,690	18,383	2,088	2,088	123.6%	11.4%	100.0%	123.6%
鐵路人員特考	1,417	7,501	1,479	1,479	104.4%	19.7%	100.0%	104.4%
警察人員特考	5,900	17,148	5,891	5,879	99.8%	34.4%	99.8%	99.6%
稅務人員特考								
金融人員特考								

表一之十

民國八十年任用計畫需要人數、考試及格人數與實際分發人數統計分析表

考試種類	任用計畫需求人數	到考人數	及格人數	分發人數	及格人數占計畫人數比率	及格人數占到考人數比率	分發人數占及格人數比率	分發人數占計畫人數比率
高等考試	3.384	28.324	3.330	2.762	98.4%	11.8%	82.9%	81.6%
普通考試	3.683	45.490	4.590	4.003	124.6%	10.1%	87.2%	108.7%
甲等特考								
丁等特考								
電信人員特考								
水運人員特考								
民航人員特考								
郵政人員特考								
軍法人員特考								
體育行政人員特考								
關務人員特考								

表一之十一

民國八十年任用計畫需要人數、考試及格人數與實際分發人數統計分析表

考試種類	任用計畫需求人數	到考人數	及格人數	分發人數	及格人數占計畫人數比率	及格人數占到考人數比率	分發人數占及格人數比率	分發人數占計畫人數比率
外交人員特考	60	400	61	16	101.7%	15.3%	26.2%	26.7%
國際新聞人員特考	11	136	10	10	90.9%	7.4%	100.0%	90.9%
國際商務經濟人員特考	30	140	30	29	100.0%	21.4%	96.7%	96.7%
環保人員特考								
中央銀行行員特考								
山地行政及技術人員特考	124	947	129	123	104.0%	13.6%	95.3%	99.2%
基層人員特考								
鐵路人員特考								
警察人員特考	10,200	18,506	6,159	6,143	60.4%	33.3%	99.7%	60.2%
稅務人員特考								
金融人員特考								

表一之十二

民國七十五年至八十年任用計畫需要人數、考試及格人數與實際分發人數

統計總數分析表

考試種類	總任用計畫需求人數	總到考人數	總及格人數	總分發人數	總及格占計畫人數比率	總及格占到考人數比率	總分發占及格人數比率	總分發占計畫人數比率
高等考試	12,421	112,477	13,604	13,091	109.5%	12.1%	96.2%	105.4%
普通考試	11,864	197,238	14,913	14,445	125.7%	7.6%	96.9%	121.8%
甲等特考								
丁等特考	1,461	50,618	2,301	2,300	157.5%	4.5%	100.0%	157.4%
電信人員特考	3,823	69,530	4,098	4,098	107.2%	5.9%	100.0%	107.2%
水運人員特考	105	816	106	105	101.0%	13.0%	99.1%	100.0%
民航人員特考	100	311	117	117	117.0%	37.6%	100.0%	117.0%
郵政人員特考	8,100	41,645	8,466	6,809	104.5%	20.3%	80.4%	84.1%
軍法人員特考	180	393	216	168	120.0%	55.0%	77.8%	93.3%
體育行政人員特考	56	328	50	44	89.3%	15.2%	88.0%	78.6%
關務人員特考	1,520	18,443	1,393	1,248	91.6%	7.6%	89.6%	82.1%

表一之十三

民國七十五年至八十年任用計畫需要人數、考試及格人數與實際分發人數

統計總數分析表

考試種類	總任用計畫需求人數	總到考人數	總及格人數	總分發人數	總及格占計畫人數比率	總及格占到考人數比率	總分發占及格人數比率	總分發占計畫人數比率
外交人員特考	310	1,931	282	214	91.0%	14.6%	75.9%	69.0%
國際新聞人員特考	83	649	83	79	100.0%	12.8%	95.2%	95.2%
國際商務經濟人員特考	75	374	82	77	109.3%	21.9%	93.9%	102.7%
環保人員特考	116	932	118	118	101.7%	12.7%	100.0%	101.7%
中央銀行行員特考	85	1,016	75	72	88.2%	7.4%	96.0%	84.7%
山地行政及技術人員特考	207	2,246	212	206	102.4%	9.4%	97.2%	99.5%
基層人員特考	6,279	89,883	8,166	8,166	130.1%	9.1%	100.0%	130.1%
鐵路人員特考	5,623	41,447	5,685	5,685	101.1%	13.7%	100.0%	101.1%
警察人員特考	71,064	106,383	42,255	39,959	59.5%	39.7%	94.6%	56.2%
稅務人員特考	92	575	119	101	129.3%	20.7%	84.9%	109.8%
金融人員特考	238	1,822	469	450	197.1%	25.7%	95.9%	189.1%

　　比較分發人數及任用計畫人數，只有水運人員特考分發的人數完全與任用計畫所填的人數吻合。有十一項考試及格人員分發之數字超過任用計畫的數字，有十三項考試是分發人數低於任用計畫所需人數。每年的情形有所差異，但有些考試及格人員不是一次分發，有些是分三年分發，故而採平均數來計算及分析。司法人員特考八十年考取的人在訓練中，尚未分發。民國七十六年到八十年間甲等特考只舉行過三次，但民國七十六年任用計畫需要甲等特考的人數資料未能查獲，不能準確地計算出來，故有關該兩項人員之任用計畫、考試與分發情形不在本文中作分析。

　　有些考試及格人員超過或低於任用計畫所需人數，表面上顯示出：假如任用計畫所報的數據正確，這些超出的及格人數就無法分發，只有列冊備用。及格人數低於任用計畫則代表考試嚴格。有些考試是為現已有職務但無公務員資格的人所舉辦的，故而他們已占缺而不必再分發。亦有的考試及格的人要經二、三年才再分發。

　　六年來任用計畫需要金融人員特考及格人數二三八人，而分發到用人機關之人數為四五〇人，分

發人數超過任用計畫百分之八九・一。任用計畫需要丁等特考及格人數一、四六一人，分發到用人機關之人數為二、三〇〇人，超過原任用計畫百分之五七・四。任用計畫需要基層人員特考及格人數六、二七九人，分發到用人機關之人數為八、一六六人，分發人數超過任用計畫人數百分之三〇・一。任用計畫需要普通考試及格人數為一一、八六四人，分發到用人機關之人數為一四、四四五人，高出任用計畫百分之二一・八。任用計畫需要民航人員特考及格人數是一〇〇人，分發到用人機關之人數為一一七人，分發人數超過原任用計畫百分之一七・〇。任用計畫需要稅務人員特考及格人數九二人，分發到用人機關之人數為一〇一人，分發人數超過任用計畫百分之九・八。任用計畫需要電信人員特考及格人數三、八二三人，分發到用人機關之人數為四、〇九八人，分發人數超過任用計畫百分之七・二。任用計畫需要高考及格人數一二、四二一人，而分發到用人機關之人數為一三、〇九一人，超過用人計畫百分之五・四。任用計畫需要國際商務經濟人員特考及格人數七五人，分發到用人機關之人數為七七人，分發人數超過原任用計畫百分之二・七。

任用計畫需要環保人員特考及格人數一一六人，分發到用人機關之人數為一一八人，分發人數超過任用計畫人數百分之一‧七。任用計畫需要鐵路人員特考及格人數五、六二三人，分發到用人機關之人數為五、六八五人，分發人數超過原任用計畫百分之一‧一。分發人數超出任用計畫所需人數百分比，依次列註如表二：

表二

考　試　種　類	任用計畫需要人數	分發人數	百分比
金融人員特考	238	450	+89.1%
丁等特考	1,461	2,300	+57.4%
基層人員特考	6,279	8,166	+30.1%
普通考試	11,864	14,445	+21.8%
民航人員特考	100	117	+17.0%
稅務人員特考	92	101	+ 9.8%
電信人員特考	3,823	4,098	+ 7.2%
高等考試	12,421	13,091	+ 5.4%
國際商務經濟人員特考	75	77	+ 2.7%
環保人員特考	116	118	+ 1.7%
鐵路人員特考	5,623	5,685	+ 1.1%

　　警察人員特考任用計畫需要七一、〇六四人，考試及格人數四二、二五五人，而分發了三九、九五九人，分發人數較任用計畫少百分之四三‧八。

保險人員特考任用計畫需要十二人，考試及格人數十六人，卻只分發了七人，分發人數較任用計畫少百分之四一・七。退除役人員特考任用計畫需要二、七〇四人，考試及格人數二、八五三人，而分發了一、六五一人，分發人數較任用計畫少百分之三八・九。外交人員特考任用計畫需要三一〇人，考試及格人數二八二人，而分發了二一四人，分發人數較任用計畫少百分之三一。體育行政人員任用計畫需要五六人，及格人數五〇人，只分發了四四人，分發人數較任用計畫少百分之二一・四。關務人員特考任用計畫需要一、五二〇人，及格人數是一、三九三人，而分發了一、二四八人，分發人數較任用計畫少百分之十七・九。郵政人員特考任用計畫需要八、一〇〇人，考試及格人數八、四六六人，卻只分發了六、八〇九人，分發人數較任用計畫少百分之十五・九。中央銀行行員特考任用計畫需要八五人，考試及格人數七五人，而分發了七二人，分發人數較任用計畫少百分之十五・三。研考人員特考任用計畫需要五六人，考試及格人數五三人，而分發了五〇人，分發人數較任用計畫少百分之十・七。軍法人員特考任用計畫需要一八〇，考試及格

人數二一六人，而分發了一六八人，分發人數較任用計畫少百分之六‧七。國際新聞人員特考任用計畫需要八三人，考試及格人數八三人，分發人數七九人，分發人數較任用計畫少百分之四‧八。調查人員特考任用計畫需要一、七七○人，考試及格人數一、七五七人，分發人數一、七一五人，其較任用計畫少百分之三‧一。山地行政及技術人員特考任用計畫需要二○七人，考試及格人數二一二人，分發人數二○六人較任用計畫少百分之○‧五。分發人數較任用計畫為少之百分比，詳如表三：

表三

考　試　種　類	任用計畫需要人數	分發人數	百分比
警察人員特考	71,064	39,959	- 43.8%
保險人員特考	12	7	- 41.7%
退除役人員特考	2,704	1,651	- 38.9%
外交人員特考	310	214	- 31.0%
體育行政人員特考	56	44	- 21.4%
關務人員特考	1,520	1,248	- 17.9%
郵政人員特考	8,100	6,809	- 15.9%
中央銀行員特考	85	72	- 15.3%
研考人員特考	56	50	- 10.7%
軍法人員特考	180	168	- 6.7%
國際新聞人員特考	83	79	- 4.8%
調查人員特考	1,770	1,715	- 3.1%
山地行政及技術人員特考	207	206	- 0.5%

　　考試及格分發人數無法完全配合任用計畫需要
人數的數字，少數的差異（多或少於百分之十者）
是免不了的，唯有的高達百分之五六·二考試及格
人數不能分發的情形，頗令人不解。但分析分發人
數與考試及格人員，發現大部分的考試及格的人數
都已分發（差距在百分之十以內者），詳如表四。

表四

考　試　種　類	考試及格人數	分發人數	百分比
國際商務經濟人員特考	82	77	93.9 %
研考人員特考	53	50	94.3 %
警察役人員特考	42,255	39,959	94.6 %
國際新聞人員特考	83	79	95.2 %
金融人員特考	469	450	95.9 %
中央銀行行員特考	75	72	96.0 %
高等考試	13,604	13,091	96.2 %
普通考試	14,913	14,445	96.9 %
山地行政及技術人員特考	212	206	97.2 %
調查人員特考	1,757	1,715	97.6 %
水運人員特考	106	105	99.1 %
丁等特考	2,301	2,300	99.96%
電信人員特考	4,098	4,098	100.0 %
民航人員特考	117	117	100.0 %
環保人員特考	118	118	100.0 %
基層人員特考	8,166	8,166	100.0 %
鐵路人員特考	5,685	5,685	100.0 %

但亦有八項考試分發人數低於及格人數，其占及格人數的比例差距超過百分之十者，詳如表五。

表五

考　試　種　類	考試及格人數	分發人數	百分比	差額百分比
保險人員特考	16	7	43.8 %	56.2 %
退除役人員特考	2,853	1,651	57.87%	42.13%
外交人員特考	282	214	75.9 %	24.1 %
軍法人員特考	216	168	77.8 %	22.2 %
郵政人員特考	8,466	6,809	80.4 %	19.6 %
稅務人員特考	119	101	84.9 %	15.9 %
體育行政人員特考	50	44	88.0 %	12.0 %
關務人員特考	1,393	1,248	89.6 %	10.4 %

到考人數與及格人數之差異相當大，顯示出報考的人相當踴躍，考試及格人數占到考人數比率很低，詳如表六。

表六

考　試　種　類	考試及格人數	到考人數	百分比
丁等特考	2,301	50,618	4.5%
電信人員特考	4,098	69,530	5.9%
中央銀行行員特考	75	1,016	7.4%
普通考試	14,913	197,238	7.6%
關務人員特考	1,393	18,443	7.6%
基層人員特考	8,166	89,883	9.1%
山地行政及技術人員特考	212	2,246	9.4%
高等考試	13,604	112,477	12.1%
環保人員特考	118	932	12.7%
研考人員特考	53	416	12.7%
國際新聞人員特考	83	649	12.8%
水運人員特考	106	816	13.0%
鐵路人員特考	5,685	41,447	13.7%
外交人員特考	282	1,931	14.6%
體育行政人員特考	50	328	15.2%
退除役人員特考	2,853	18,017	15.8%
郵政人員特考	8,466	41,645	20.3%
稅務人員特考	119	575	20.7%
國際商務經濟人員特考	82	374	21.9%
金融人員特考	469	1,822	25.7%
民航人員特考	117	311	37.6%
警察人員特考	42,255	106,383	39.7%
保險人員特考	16	34	47.1%
軍法人員特考	216	393	55.0%
調查人員特考	1,757	2,345	74.9%

　　由上可見大家對考試用人的重視，很多人都希望經考試而能任用，將及格人數和到考人員加以比較發現，及格的人數所占比例有低到百分之四‧五，也有高到百分之七四‧九。錄取率過高，超過一半

的人都錄取的只有軍法人員考試及調查人員考試。
以上的資料顯示出一些問題，宜作進一步的檢討：

一、分發人數高於或低於任用計畫所需人數確實原
　　因何在？

二、考試錄取人數與任用計畫所需人數差異的原因
　　何在？

三、分發人數與錄取人數以及任用計畫需要人數不
　　相配合的原因何在？

四、有很多機關常匿缺不報的理由何在？解決途徑
　　何在？

　　尤以及格人數超過任用計畫需求人數時，分發
人數未達任用計畫需要人數，如：軍法人員特考、
郵政人員特考、山地行政人員特考、保險人員特考、
退除役人員特考；或及格人數雖低於任用計畫需求
人數，但及格人數並未得全部分發的情形，如：體
育行政人員特考、關務人員特考、外交人員特考、
中央銀行行員特考、警察人員特考、調查人員特考、
研考人員特考，也令人費解。據聞原因是 —— 報缺就

要凍結此職位，而工作等不及一年後才分發到及格人員來工作，而致工作癱瘓。為了使工作能順利進行，很多機關匿缺不報，要人時向人事行政局要求分發人員，分發不出人，用人機關得以自行遴選。自行遴選的結果就是各機關相互挖角，把分發到別的機關的人員拉過來，形成不安定的情形，損及各機關之運作，如何解決這些問題急須加以研究。無論分發人數超出或低於任用計畫的情形都值得探討其理由。改善人力規畫作業及程序方式，應有助於任用計畫之編報，建議採以下的步驟來進行任用計畫的編製，可以提昇任用計畫的切實性，而促進考用合一制度的有效實施。

人力規畫作業程序

作業程序之正確性是辦理任何一項工作的先決條件。人力規畫作業程序大致包括以下五步驟：

一、分析、研議及執行此單位的目的與任務

分析與研議任何一個組織和單位的目的和任務，也就是作決策的計畫。首先必須先分析和評估環境的影響，包括公共政策、政情趨勢、法律影響、經

濟情況、社會狀況以及科技進步的影響。其次是要認定主管人士的構想與價值觀。第三個步驟是要審視此單位的優弱點，考慮此單位的人力、財力、技術資源，以及現有的設備。第四個步驟是要發展出一套策略，使此單位的優點與主管的構想可以與此環境能提供的機會相連結。第五個步驟才根據此單位的目標所在，列出如何達到目的的計畫。

二、現階段人力的狀況

　　將機關中目前的人員作一清查，可謂是「才能清查」。「才能清查」有幾個重要的用途：㈠以便人力預估時，可據之與所需的人數、類型及才能來作比較，可得知那些才能是該機關所需要的。㈡如何在已有的人力中以訓練、升等以及其他培養人才的方式，來獲致所需的才能。㈢「才能清查」的另一功用是可以由現職人員挑選出合適的人來補空缺。

　　「才能清查」應該包括下列諸項資料：

　　㈠個人資料－姓名、出生年月日、性別、婚姻
　　　狀況。

　　㈡教育程度－學位、院系、畢業日期、課程、
　　　特別訓練。

(三)經歷－任職單位、現職、日期、級俸。

(四)考績。

(五)事業目標－個人對訓練、工作、職務及工作
　　地點之興趣。例如表七。

表七

<table>
<tr><td colspan="7" align="center">人　力　資　源　表</td></tr>
<tr><td>姓名</td><td></td><td>出生年月日</td><td colspan="2">年　月　日</td><td>到職日期</td><td>年　月　日</td></tr>
<tr><td>性別</td><td></td><td>婚　姻　狀況</td><td colspan="4">□已婚　　□未婚</td></tr>
<tr><td colspan="4" align="center">經　　　　　　歷</td><td colspan="3" align="center">任　職　起　迄　日　期</td></tr>
<tr><td colspan="2">本　單　位</td><td colspan="2"></td><td colspan="3"></td></tr>
<tr><td colspan="2" rowspan="2">其他單位</td><td colspan="2"></td><td colspan="3"></td></tr>
<tr><td colspan="2"></td><td colspan="3"></td></tr>
<tr><td colspan="2">教育程度</td><td colspan="5"></td></tr>
<tr><td colspan="2">其他專業
繼續教育
課　　程</td><td colspan="5"></td></tr>
<tr><td colspan="2">工作興趣</td><td colspan="5"></td></tr>
<tr><td colspan="2">現任職務
考　　績</td><td colspan="5">□不　合　格　　□達到最低標準　　□完全滿意
□超越標準　　　□特　　　　優</td></tr>
<tr><td colspan="2">評　　語</td><td colspan="5"></td></tr>
<tr><td colspan="2">發展需求</td><td colspan="5"></td></tr>
</table>

三、人力預測

人力預測是測定在某一段時間內（一年、三年或五年）對人力的需求，包括那一類人力及那一類才能的能力。預測也包括人力供應的預估，先估計出來有那些已有的職員中，可以內部調整來因應這種需求，有那些要從外面甄選進來。將人力需求與人力供應與以相減，假如是正數，則須增加人員，假如是負數就裁減人員。以下四種方法是預測人力所用的技術：

㈠經驗判斷：了解全部作業及業務成長或減少的主管可憑經驗預估未來工作量及工作內容而加以評估。另一類經驗判斷的方式稱為德爾菲試驗（Delphi Test），主要在集合一批專家的審查意見。專家們個別研究提出預估建議，交由召集人加以統整，再交還專家據之重估，而後獲致共識，提出大家都能接受之預測方案。

㈡預算計畫：年度預算亦是人力需求的重要工具，經費的需求反應出業務狀況、人員配置、設備需求等等。在編製預算時亦須要對人事經費多加考量，亦可因此做到人力的預測。

　㈢工作標準資料：將全機關業務予以量化，分析每一案件之完成應由多少人力及時間來處理，而後據之預測。

　㈣主要預測因素：這種技術主要在發現將來在業務上有那些因素與工作人員的質與量有關係，再就此因素與人力的配置上作適當調整的預測。例如退休、辭職等等就是因素之一，如表八。

表八

司 處 長 級 人 力 預 估 表

職　　　等	現有人數	五 年 內 退休人數	其他因素 離 職 者	總離職數	五 年 後 預估人數
總　　數					

　㈤主管繼任計畫：人力資源預估中最特殊的一種是主管繼任的計畫，很多國家的機構是用內升的方式。有的機關是由直接主管給予中高級職員一評分，由評分的高低得以見知此職員是否適任主管的可能性，再經高階層主管級的官員組織小組加以審

查。這種機密的資料可以及時使用，而免除補缺時再浪費臨時甄選所花時間，此方式的缺點就是只限於某幾位人士可擔任某幾種特定的主管工作。另一種較合理的可行方式是挑出有資格晉升的人員，根據機關業務的需要和他們本人的興趣，給予特殊的訓練，予以有計畫的培育。

四、執行計畫

將人力資源計畫付諸行動就是執行計畫，涉及以下幾部分：

㈠甄選、任用：分析人力需求時發現缺少的才能和冗員，據之衡量供求問題。公家機關經考試任用人才後，仍宜加以訓練，視其性向發展其才能，而滿足機關用人的需要。

㈡考績：考績主要的功能有二：(1)作為調薪、升遷調職和辭退的根據；(2)作為發展「訓練進修」的根據：可以據之來衡量職員的「自我進修」、「訓練」及「調度」。根據目標所在，來管理是考績的好方式。

㈢訓練進修：機關裡作正式而統整的訓練進修，可謂是個非常新穎的觀念，其中部份稱之為生涯發

展，也就是規劃出晉升的管道。最近的方式是重視個別職員的自我分析及個人興趣的選擇。各機關應同時重視個別的選擇及自我分析的結果，加以輔導。

㈣升遷、轉業、調動：每一機關為因應以上的情況永遠在變動，亦只有運用這些方式可使此機關更能提昇公務的品質。

㈤訓練和發展：新科技的發展帶來了很多新產品，用人機關必須視需要，加強辦理內部之進修班或委託附近之學校，代為訓練。

㈥褒獎及報酬：整個有關獎勵、領導權、回饋及報酬都是幫助人力資源方案的優良途徑。任何不公平的處理都會導致人事的不穩定，而影響人力資源之規畫。

五、審查及調適

根據規劃的方案與執行的成果可以衡量出究竟原始的計畫有沒有達成，沒有達到的原因為何？是方案過於理想，或是執行不當？都是在這一階段裡來審視，而後加以調適。

附註

❶ 根據行政院人事行政局於民國八十年八月二十一日八十
局肆字第三○二七一號函與八十一年四月份所提供之補
充資料、考選部特考司及銓敘部登記司於民國八十一年
五月間所提供之資料。

❷ 根據上註資料計算而出。

撰寫此文時，多承以上三單位提供資料及吳淑華小姐協助
整理統計，特此致謝。

參考資料

(1) Beach, Dale S., *Personnel: The Management of People at Work,*
4th ed. (New York: Macmillan, 1980).

(2) Carvell, Mutal, and Kuzmets, Frank E., *Personnel Management of
Human Resources,* (N.Y.: Bell & Howell Co., 1982).

(3) *Human Resources Management: Issues for the 1980s,* (N. Y.: Co-
lumbia University. 1983).

(4) Mathis, Robert L. and Jackson, John H., *Personnel Human
Resource Management, 5th ed.,* (N. Y.: West Publishing Co., 1988).

本文曾刊於＜銓敘與公保月刊＞，第2卷，第1、2期（民國81
年7月～8月）：3～7、3～8

「護士荒」的審思

　　每年秋季接近高普考的時候，報紙上就常常出現「護士荒」的新聞，引起社會各界的關注。民國八十一年和八十二年參加高普考的護理人員都大量的增額或額外錄取。八十一年總錄取了護理師二、四○二人，護士二、六五四人，八十二年錄取的護理師較前一年的少一點，但也錄取了一、五二九人，但考取普考者高達三、二○○人，兩年來總計錄取的護理人數是一萬零一人，根據人事行政局的統計，到八十三年八月二日止，還有一、八四四人沒有被分發出去。

　　有了這麼多無缺可分發的護理人員，怎麼能說現在仍舊嚴重地缺少護理人員呢？究其每年高普考時醫院作業大受影響的原因，可能是因為有些原來佔缺的護士沒有公務員資格，當然要去報考，但不一定都考得取。所以每年總是有沒考取仍在原位上的工作者，再次參加考試。也有些是已有資格的護理人員，工作了多少年後，有資格報考高考時，就報考高等考試。主要是人人都想往高處爬，誰不想有更高的就業資格呢？考取了高考在待遇上和升遷

上都有更多的好處，所以每年都有這麼多人向醫院請假去參加考試，造成醫院必須採取停診或關閉某些部門的一些緊急措施。為了設法解決這個問題，考試院也修訂了技術人員任用條例的第五條及第七條，修正條文規定護校畢業生有工作實務經驗二年，可以檢覈的方式取得任用資格，但僅以取得該職系之任用資格為限，不得轉調其他職系及公立醫療機構以外之醫療行政職務。此案已於八十三年經立法院通過，并於八十三年十二月二日經 總統明令公佈，雖然這使公立醫療機構得以延聘檢覈及格者任職，固可解決現職公立醫療機構護理人員任用資格問題，但是沒有辦法消除護理人員為晉升或者要從事行政工作而參加高一級考試的意願。因此無論考試法、任用法如何因應，都無法徹底解除每年高普考時造成護士荒的現象。既然每年有很多考取的人士，都是因為沒有缺沒有被分發到公立醫院工作，但他們是可備用的人力資源。因此建議建立醫政單位考慮一種職務代理的制度，來解決這種年年發生暫時性的問題。何不建立一個備用護理人員資料庫？調查他們代理的意願，在醫院現有人員請假去報考，急需用護理人員時，就可以檢索資料庫，選用暫時代

理人。建議在醫務行政上設法解決臨時用人救急的問題，而不能一再歸罪於考試用人的制度。

本文曾刊於＜自立晚報＞，（民國83年8月25日），第8版。

丹麥地方政府公務人員之訓練與進修

前言

八十年九月考試院歐洲人事行政考察團赴俄國、瑞典、丹麥、德國、芬蘭及波蘭等國考察人事和公務人員訓練設施，筆者特別留意公務人員之培育與訓練問題，收集到不少的資料。撰文簡介丹麥政府訓練設施，供我國發展公務人員訓練計畫之參考。

丹麥地方政府公務人員之內涵

為因應丹麥國民的需要，丹麥地方政府掌理的事務很多，地方政府公務人員的數量也因此相當龐大，人數高達三十四萬三千人，占全國人口百分之六·七。一半以上的公務人員都從事社會福利和公共衛生方面的工作，百分之七十二的地方政府公務人員都是女性，受過高等教育或職業教育的占百分之五十八，但百分之四十二的地方政府公務人員沒有受過基礎教育。一九八九年的統計顯示以下的情況：

教 育 程 度	職 業 類 型	人 數	百分比
大學畢業	牙醫、工程師、心理學家	8,000	2%
專業教育(中期)	教師、圖書館員、社會工作人員	65,000	19%
專業教育(短期)	教師、護士	45,000	13%
具技能之工作人員	文書人員、助理護士、技工	74,000	22%
無須技術之工作	清潔工、護佐、助理教育行政人員	144,000	42%
見習人員	初級辦事員	3,000	1%
其他	助理教育行政人員	4,000	1%
合計		343,000	100%

丹麥地方政府公務人員培育原則

　　丹麥地方政府公務人員的基礎訓練原則上是整合於其教育制度中，公務人員任用資格則除了正規教育外，必須還要有訓練。行政事務訓練是處理地方行政最基本的訓練，通常由中央政府與任用機關會同同業工會密切合作辦理，形成了這類訓練自治

的傳統。一部分由中央政府撥款支援經費，由學校講授理論，一部分由實習佐之。在學校接受過理論基礎教育後，政府機關再以「實習」的名義，給予薪金任用。大部分行政人員的訓練都由地方政府主理。除了實習以外，它們還要接受一種特別的市政訓練，稱之為「丹麥地方政府課程」(Danish Local Government Course)以及丹麥公共行政學院所給予的訓練。

　　丹麥地方政府行政方面以前並沒有任用大學畢業生的傳統，但是因為對於人員素質的要求日漸提高，致而促使地方政府建立繼續訓練的制度，兼顧理論與實務。綜言之，丹麥公務人員養成教育係視工作性質而定，有下列三種狀況：一、短期性者：屬於速成班，大都為市立托兒所培訓教師與護士所設。二、中期性者：培育給予小學教師、圖書館館員及社會工作人員。通常教師是在中央政府撥款支援的師範學校裡培育，圖書館員由二所圖書館專業學校培育，社會工作人員由四個高中和一所大學來培育。三、長期性者：屬於大學或專業性之大學教育，地方政府任用大學畢業生的職位大部分是市立醫院兒童牙醫、駐校醫師、心理學家、工程師、建

築師和給予法律諮詢的法律專家。

丹麥地方政府訓練課程

　　丹麥地方政府訓練方案甚多，大約可以歸納為下列兩類：

一、行政人員的訓練課程已有半個世紀的歷史，分別在三十餘地舉辦，包括二種訓練課程：

　　㈠第一階段旨在使公務人員瞭解影響執行公務的基本因素何在，內容涉及公共行政、司法事務、公共財政、溝通與合作等等。課程共有二九○鐘點，在一年內以每週一天的方式進行，第一階段的訓練參加與否直接影響到薪金的調整。

　　㈡第二階段是比較重視地方政府掌理的特殊部門或功能，受訓人可以依照他的事業興趣或生涯規劃來自由選擇。

　　㈢派員參加私人補習課程，派員參加全國地方政府協會及其十四個分會所辦的短期訓練課程。

二、地方政府公務人員在職訓練，為使公務人員的知能可跟得上時代，地方政府採用在職訓練的

方式如下：

㈠政府聘一、二位人士在上班的時間給予員工短期的訓練。

㈡派員參加專業社團或學校所辦的課程。

丹麥地方政府訓練中心

一九七六年在格瑞那 (Grenaa) 成立了一個獨立的訓練中心，由四個單位派員組成一個管理委員會督導之。管理委員會包括來自全國丹麥地方政府協會六位成員，三位全國郡議會的成員，另分別各由哥本哈根市及佛來德斯柏 (Frederiksberg) 市產生的代表一人。主要的任務不但訓練各縣市機關的公務人員，也訓練人民選出來的代表及從政人士。丹麥地方政府是由人民選出來的議員管理，大約有四千五百位之多，在任期四年中，每年大約有百分之三十是新當選的，其他還有很多委員會由議員指派人員擔任之。這些人民代表大都先由它們的政黨給予基礎訓練，議員們和政府當局配合的很好，它們很重視地方政府的情況，對地方財政及行政要有深入了解。其訓練課程大致分為三類：

一、從政人物需要的課程，二、管理課程，三、專

門課程。

一、從政人物需要的課程：
　　㈠特別說明權利及義務。
　　㈡說明新訂法令。
　　㈢說明各特別不同領域政策之擬定（財務、環
　　　保、社會及文化事業）。
　　㈣研討政務及行政執行方面之關係與合作。
　　　這些訓練是開放給所有政黨的，沒有政黨的
　　　限制；自一九七四年開始以來，一九八九年
　　　選舉以後百分之七十新選上的政治家都經過
　　　訓練。

二、管理課程：管理課程旨在提供執行幹部更高深
　　的課程，但不是針對某一個層面的難題提出管
　　理困難的解決之道，而是一般性的管理技巧或
　　工具，例如管理與組織、管理、溝通與合作以
　　及策略性管理。訓練中心也為各類機構開設有
　　專門的管理課程，例如「小學校長課程」、
　　「安養院院長課程」、「幼稚園園長課程」、
　　及「圖書館館長課程」等等。

三、專門課程：訓練中心所提供的專門課程無奇不

有，例如電話服務、公司稅務、學校祕書、建築物維護、各種法律的執行等等。

除了訓練以外，丹麥地方政府訓練中心也舉辦一些國際活動，歐洲公務人員訓練機構會議，一九九〇年波蘭訓練中心也促成了不少雙邊交換活動，例如與英國魯頓地方政府訓練班交換行政官員訓練活動，協助希臘建立公務人員訓練班聯絡網路等。

丹麥公共行政學院

丹麥公共行政學院是一自主獨立團體，由中央政府、地方政府及專業組織派代表組成，經費由各派員參加訓練之單位支援，總部設於哥本哈根，課程則分散在各地開課，以便公務人員在職進修，該學院以收費制度來支應其費用，通常由服務單位代職員繳費。

該學院提供下列各種課程：一、行政、二、組織與人事、三、公共行政、經濟、文化及社會問題等。

每一個主題包括三項專門課程，每一專門課程包括一百八十個鐘點，完成五百四十個小時之課程

即可獲得證書。通常研修這些學分耗時約三年始能完成。研修這種課程的先決條件要先通過上述丹麥地方政府第一和第二階段的訓練課程。

丹麥行政學院所提供最高的教育是要求公務人員上完上述文憑課程後，再自由選一些課程來研修，總共研修一千二百九十個鐘點後，可謂完成最高深之研習。

結 語

由丹麥的公務人員訓練與進修制度可見他們體認出在職訓練與進修是健全公務人員人力之重要工具。在這個千變萬化的資訊時代裡，公務人員除了要有基本的學識和技能，但必須要繼續攝取新知能才能勝任所賦予的職務。我國雖然在實施公務人員訓練和進修，仍須再予慎思熟慮地加以系統化的規劃，尤其是丹麥對甄選出來之民意代表和從政人士所作之訓練，的確值得我國借鏡。

參考資料

1. The Decree of the Law On Public Servants for The Country, Public Schools and the Danish State Church: Chapter 2: *Employ-*

ment. n. d.

2. The Local Government Training Centre of Denmark Den Kommunale Hojskole Danmard: 22, 11, 1990.

3. *Training and Education of Danish Local Government Staff and Politicians: Facts and Main Principles,* (National Association Local Authorities in Denmark, 1991).

本文曾刊於＜考選周刊＞，第363、364期，（民國81年8月～9日），第2版。

日加美地方政府公務員行政中立培訓及保障制度之特色

前言

在中華民國正式邁入政黨政治多元化的今天，縣市自治法已立法公布實施中，產生了一些轉型期的調適問題，對人事的政策與措施也發生了一些衝擊，中央和地方政府，如何同步調運作，相互如何配合，不相牴觸，而能有效地達成政府為民服務的任務，都是現階段發現應予因應的問題。

由於日、加、美三國都是政黨政治行之有年的國家，有關下列的措施和經驗都頗值得參考。中央與地方間人事制度如何協調？文官何以可不受政黨更替的影響？其工作如何受到保障？如何切實能做到文官中立？在千變萬化進步的社會中如何培訓公務人員使之隨著工作成長而能因應新時代潮流來執行公務，更稱職地達成公僕的任務？有鑑於此，考試院委員組成日本、加拿大、美國地方文官制度考察團，成員包括張委員定成、郭委員俊次、余委員傳韜、曹委員伯一、王委員執明、譚委員天錫、何

委員世延、人事行政局副局長歐育誠、考選部科長蕭致遠、銓敘部科長陳坤炎、考試院專員宋光景及本人等一行十二人，由鼎鍾領隊於民國八十四年三月十五日啓程赴東京、溫哥華、維多利亞、洛杉磯、舊金山等地考察該三國地方政府公務員行政中立、培訓及保障制度。在二週的考察行程中，參訪了州政府、縣、市政府人事機構及其訓練機構並與之舉行座談，了解其實際運作情形，並廣泛交換意見。

在拜訪加拿大維多利亞大學及美國南加州大學時，雙方也曾就公共行政學術觀點，對整個地方人事制度及公務員訓練建教合作情形，作很詳細的討論。對該三國人事法制有很具體認識，為因應政黨政治發展需要，如何改進我國現有公務員制度，獲有頗多心得。

各國地方文官制度之特色

一、行政中立方面

公務員有權加入任何政黨，但不得利用公務員名份、政府資源或上班時間參與任何政治選舉活動。由於一般公務員的任用、升遷考核權，不屬於民選

的機關首長。在健全文官體制下，公務員可以完全避免因而受到牽制，尤其機關首長由議員兼任時，由於議員也有完整的法規規範其政治行為，不易發生向公務員關說、施壓或利益輸送的情形。在加拿大訪問期間，適逢維多利亞省省長，因擅自將為數五佰萬元加幣之公關計劃，交給其競選功臣所開的公關公司進行公關活動，有利益輸送的可能，遭到嚴厲的追究，可能遭彈劾而去職，這件事對民選首長的約束力，尤其讓人印象深刻。

二、任用以個人能力為斷，內升外補各有特色

　　公務人員的任用、升遷，在日本是考試及格後，循序內升，少有外補。美國、加拿大則所有升遷，都必須經過公開的競爭考試，一切以個人的專業能力為根據。在洛杉磯市政府，其用人政策固然也兼顧公務員人數，與當地不同種族人口比率彼此間的平衡，但對於殘障人士並沒有特別的優待。因為他們認為公務員是服務公眾，不能為保障殘障人士而予以任用，影響服務品質，與我國殘障福利法規定政府機關必須進用百分之二殘障人士的規定不同。

三、地方分權，各自為政

　　日本地方機關，依地方公務人員法為基準，自行管理各項人事行政。美國、加拿大，則只要不違反聯邦法律，儘可依實際需要，自行管理自己的公務員。由於公務員合格任用後，只能在各該地方政府機關任職，無法以考試及格，或銓敘合格資格轉調其他機關，不致發生像我國地方公務員一心想到中央機關爭取升遷的機會，但也由於地方縣市規模小，公務員發展受限，尤其是退休撫卹基金規模小，經營不易。過度的地方分權，不適合目前我國中央與地方政府分際不明顯的國情。警察任命以五人小組超然之選甄人選，頗值參考。

四、美、加考試重視口試

　　美國、加拿大公務員無論初任或升遷考試，一般情形是筆試與口試各佔百分之五十。筆試出題以滿足職位需要為原則，避免與學校所學重複，口試則側重在解決職位上問題的反應，及協調溝通能力。尤其聘有專家學者，考驗當事人危機處理能力。口試時全程錄音以昭公信，避免口試流於形式。缺點則是考政業務人力負擔較大。以洛杉磯市政府為例，

全部四萬公務員，頁責考試的公務員就高達三百五十人。

值得參考或研究的問題

考察結束後，深覺以下幾點，值得借鏡、研究或參考的：

一、行政中立是奠基於健全的政治文化，非短期所能塑造，必須同步規範行政人員及民選議員，才能扭轉目前惡質的政治生態。行政人員人事任免考核權，如何逐步轉移由機關事務性常任副首長來掌理，使民選首長或政務官的首長，得以免除政治干預常任文官，自然可以使公務員行為，逐漸符合於行政中立要求。據了解銓敘部目前也正在研究類似的「文官長」制度，能有助於行政中立的推動，是值得支持的。

二、公務員依職系組織公會

日、加、美地方公務員，除了少數管理人員代表機關與公會協商，沒有加入公會外，其餘公務員都可以依自己工作類別，加入同行公會，

以爭取本身法定權益。由於公務員與政府的關係，已經由傳統的特別權力關係，轉變為平等權利的「權利義務」關係，公務員不再是凡事服從政府，美國行政機關公務員，也可以比照郵局、電信局、鐵路局、公路局等事業機構員工，組織公會，當有助於團體的協商。雖然政府可能增加與公會協商的人力，但組織公會是不可抵擋的時代潮流，應予以正視。

三、對於免職處分案，宜主動給予救濟

日、加、美對影響公務員身份的免職處分，均訂有周詳的聽證救濟制度。我國目前對於免職案，固然也可以透過行政爭訟等程序來救濟，但無論訴願、再訴願或行政訴訟，大多採書面審理，不易發現真象。尤其考績免職案，銓敘部可以考慮主動派員實地訪察，或邀當事人與機關代表當面交互質問審察，使當事人更能信服，達到依法保障的效果。

四、規劃有系統的培育訓練制度

目前我國各級政府及事業機構都設有訓練機構，

或委託學校辦理訓練事宜。無論是課程或設施，都已具備相當規模，將來文官學院訓練重心，可以配合公務員的生涯規劃，給予有系統的訓練對高級主管人才的培育，尤其要注意法制教育，與不同領域科際間的整合訓練，並注意培養其「危機處理」能力，以前瞻的眼光掌理政府發展方向，以制度化的危機處理程序，解決一切可能發生的危難，避免臨事草率因應，後患無窮。

五、加強考核以提振行政效率

公務員追求的外在目標，不外乎考績與升遷。由於我國目前考績甲等比率高達百分之八十四，考績已流於形式。基層人員隨著職等的提高，使升遷比以往更為容易，無形中減少競爭的原動力，相對影響行政效率。為了避免過度保障，將來修正公務人員考績法時，可以研究訂定更有效的考核辦法，以獎優汰劣，在修正前，把目前一年一次的年終考核，改為每三個月考核一次，由各級主管人員逐項評分，以四次平均分數作為年終考績分數，值得研究參考。

六、精簡員額，應依實際業務繁簡為斷，並兼採獎
　　勵措施

　　目前政府精簡員額政策，不分機關業務情形，
　　一律要求在三年內減少百分之五，未免武斷。
　　似可參考日、美、加的經驗，該減要減，該增
　　加的人力還是要增加。精簡員額採出缺不補，
　　不失為可行方式，如果配合積極的鼓勵措施，
　　如增加加班費，或把減少員額的人事預算，提
　　出一定比率的經費，作為獎勵金，或許更能真
　　正落實員額精簡政策。

本文曾刊於＜銓敘與公保月刊＞，第4卷第12期（民國84年6月）
：　6～8。

日加美地方文官制度考察後記

前言

　　我國邁入政黨政治時代，正實行地方自治，人事制度及運作受到衝擊，如何調適實在是一值得探討的課題。考試院於八十四年三月十五日至二十九日組成日加美地方文官制度考察團，前往日本東京都、加拿大卑詩省及溫哥華市、美國洛杉磯市及舊金山市等地考察地方人事行政制度。特別以行政中立、公務員培訓及保障制度為考察重點；除參訪相關人事機構及訓練機構外，並與相關人員及公共行政學術界舉行八次座談，蒐集資料甚多，收穫豐碩。考察報告，共提出有關法制、組織編制、考試、任用、保障、訓練進修、考績、待遇、退休撫卹等十類計三十四項建議。茲綜合各項建議如下，供改善考銓制度和業務的參考：

建議

一、法制方面

　　㈠儘速公佈公務員基準法，明確規範公務員權

利及義務。

㈡加強與立法院聯繫，儘速審議已送請該院審議之行政中立法、公務人員保障法、公務人員進修法、公務人員陞遷法等等。

㈢儘速研訂公務人員訓練法。

㈣研究制訂政治捐獻法之可行性并制訂之。

二、組織編制方面

㈠儘速成立國家文官學院。

㈡除了精減員額，遇缺不補外，建議研究獎勵措施，落實員額精簡政策。

三、考試方面

㈠研究以下各項措施或制度：

(1)升等考試採年資增加分數之措施。

(2)高考一級考試施行口試。

(3)基層特考考取者僅給予地方機關公務員資格。

㈡儘速確定高科技及稀少性職務之範圍，據之研究高科技及稀少性人才之甄試方式。

四、任用方面

㈠我國公務員升遷考核宜注重本機關服務年資
　及績效，並以內升為原則。

㈡逐步將機關部分人事任免權移交常務副首長
　掌理，建立文官長制度。

㈢各機關按照殘障福利法各機關進用殘障人員
　規定，保留一定比例，供將來殘障特考分發
　之用。

五、保障方面

㈠儘早規劃更有效之申訴制度，尤其對於免職
　處分案，主動訪察或邀當事人與機關代表當
　面瞭解。

㈡研議規範、以確保女性公務員不致受到騷擾。

㈢正視以職系組織協會之可行性。

六、訓練進修方面

㈠儘速進行訓練整體性之規劃，並促請各機關
　主管重視訓練工作。

㈡加強公務員之法制教育、科際整合訓練、危
　機處理訓練。

㈢在實行地方自治之際，有系統地調訓地方機
　關中上層級幹部。

七、考績方面

　　研究更有效之考核方式，並建議參考日本
公務員按年資晉敘之辦法。

八、待遇福利方面

㈠參考日加美調整待遇之作業程序。

㈡研究產假之時段及協助公務員理財等方式。

㈢參考美日加公務員工作五日之措施，作適當
　之調整。

九、退休撫卹方面

㈠研究日本之退職津貼及退職年金兩種制度並
　行之制度在我國之可行性。

㈡早日全面實施我國公務員退撫新制。

㈢將退休撫卹基金，貸款給公務員作有效運用。

本文曾刊於＜考選周刊＞，第517期，（民國84年8月），第2
版。

圖書資訊篇

國家圖書館與書目控制

前言

　　國家圖書館通常都被認為是圖書館中的圖書館，居領導的地位，主掌典藏全國及重要國際文獻的重任。在人類經驗紀錄的數量、內容及型態都日呈增多狀與多元化情況下，在資訊日益爆發的時代裏，國家圖書館如何有效地掌握資料資源的來源、內容、儲藏處所、傳輸技術和管理方法，來發揮它應有的功能是一重要的課題。

　　掌握資料與資源的來源、內容、儲藏處所、傳輸技術和管理方法，以便於利用，的確對圖書資訊界是一種專業的衝擊和挑戰。其癥結在於書目控制理論與實務的結合，也就是圖書資訊界技術服務與讀者服務的交集。以一致性和完整化的圖書技術服務為基礎手段，來達成完善和便於利用的讀者服務為目的。完整的書目控制、切確的文獻分析和同類資料的彙集，這些活動都是要促使人類的經驗紀錄便於利用。因此書目控制可以說是集圖書資訊界發揮功能的各種手段於一的重點工作。如何使國家圖書館和書目控制相互配合，而發揮應有的功能的確

值得探討。

國家圖書館的特性與功能

  Library Trends 這本專業性的期刊在一九五五年出版研究國家圖書館的文獻時，曾指出：「國家圖書館最重要的一面就是它是各圖書館的圖書館」(A libraries' library)❶。

  Sir Frank Francis 和 Kenneth W. Humphreys 在一九五八年和一九六四年先後對國家圖書館的任務作了詮釋，都認為國家圖書館最主要的任務是：「為了後世子孫的利益，國家圖書館有責任收集並維護該國之圖書出版品」"(the national library as the library which has the duty of collecting and preserving for posterity the written production of the country)"❷。

  英國圖書館委員會於一九六八年提出，國家圖書館最基本的責任是：一、收集全國文獻中最卓越的書籍。二、依據出版法收集要之書籍。三、為全國最完整的外國資料所在。四、出版國家圖書目錄。五、是一國家書目資訊中心。六、出版聯合目錄❸。

  我國國家圖書館(原名國立中央圖書館)的創館館長蔣復璁先生也認為：

一、國家圖書館應依出版法，永久典藏全國圖書出
　　版品，成為國家文化中心。

二、透過國際出版品之交換，成為宇宙知識之中心。

三、收集世界各國重要圖集，成為學術研究中心。
　　他也主張國家圖書館應為全國其他圖書館之典
　　範，擔負起指導全國圖書館事業之功能❹。

　　一九八〇年代，本人研究結果，發覺大部分人
士都認為國家圖書館主要角色是❺：

一、透過出版法的呈繳制度，收集所有全國出版品，
　　成為全國文獻永久的儲存中心。

二、集中編目，提供編目卡，收藏參考工具資料，
　　編印國家圖書目錄和其他書目包括聯合目錄，
　　成為國家書目中心及有效的資訊服務中心。

三、進行國際出版品之交換成為一個國家的國際出
　　版品交換中心。

四、領導其他圖書館、規劃並協調圖書館事業之發
　　展。

　　民國七十七年，胡述兆教授分析了國際圖書館
協會聯盟所歸納十四項功能：一、蒐集和保存國家
的圖書資料。二、蒐集外國研究及教學資料。三、
維護特殊性質的資料如地圖、音樂圖片、影片等。

四、保存維護對國家遺產有重要價值的珍貴本。五、編製切實的書目資料。六、編製全國圖書期刊索引和國家書目。七、發行編目卡片。八、保持一個全國性的目錄(指聯合目錄)。九、控制全國借閱服務。十、出版品國際交換活動。十一、對國內其它圖書館提供資訊服務。十二、訓練全國圖書館人員。十三、協調全國性採訪政策、文獻計畫和自動化計畫。十四、推動跨區域性的國際合作。結果國際圖書館學會聯盟的會議上，獲得大多數人的認同，而通過的只有一條：國家圖書館為後世子孫的利益，有責任蒐集並保存整個國家的圖書出版品❻。

王館長振鵠在掌我國國家圖書館館務時曾指出：「國家圖書館在一國文化水準的表徵，其主要的任務在發揚舊學、涵養新知，一方面保存舊文化，一方面開拓新境界，具有繫文化命脈、觀時代興衰之功能。今後在館藏發展上，應力足本土，放眼世界，不僅要質精量豐，更應謀服務之便利。此外，國家圖書館應以橋樑自居，在圖書館之間領導溝通，謀求圖書館事業之合作發展」❼。

綜言之，這些學者專家的看法也是把國家圖書館定位在集中出版品及圖書服務上。它是國家文獻

典藏中心、書目中心及協調、規劃與領導整個國家
圖書館系統中心。

　國家圖書館一方面要重視收集圖書資料的實體，
一方面也要重視代表這些圖書資料的書目紀錄的收
集❽。這些代表書籍的書目記錄的收集與維護，可使
書籍便於獲得 (available) 亦便於取用 (accessible)，就是
書目控制的精華所在。國家圖書館不但有負起其對
本國書目控制的責任，正如 Dorathy Anderson 所說的：
「國家圖書館在國際傳播系統中，可謂是國際書目
控制之重要組件之一」❾。

書目之控制之定義、種類與功能

　「書目控制」此一詞有三種界說❿：

一、英國圖書館學會編製的〔學生手冊〕(Student
　　Handbook) 中，解釋書目控制的定義為：「書目
　　控制是發展和維護對各種有助於增加人類知識
　　與資訊之已出版與未出版、印刷型與視聽資料，
　　作適當記錄之制度」。

二、美國國會圖書館於一九五〇年發表其與聯合國
　　國際文教組織對書目服務所作調查的報告：
　　Bibliographical Services: Their Present State and

Possibilities of Improvement。其中解釋書目控制是
指掌握編製書目或由書目所提供的書寫或出版
之記錄：即意經由書目便於資料之獲得，例如：
對醫學方面的書目控制就利用書目有效地獲得
有關醫學資訊的出處。

三、美國圖書館界泰斗 J. H. Shera 和 M. E. Egan 合著
〔書目組織〕(Bibliographic Organization) 一書中，
將書目組織與書目控制視為同義字，是一種對
人類交流溝通的記錄作有系統的編列模式。有
系統的書單稱為書目，製作這些書單的技術就
是對書籍、作者、版本及日期的研究，包括對
記錄的組織和運作方式的研究、館際合作與資
源共享的研究以及如何改善教育書目編製方式
的研究。W. Roberts 則綜合地給書目控制一個簡
單扼要的定義：「書目控制是在目錄或資料庫
中，記錄或描敘圖書資料，以促進其在圖書館
或文獻中心便利使用之系統」⑪。

由於研究工作愈來愈多，也愈來愈有重覆的可
能，出版品生產量之增多與加速，資訊的爆炸，書
目控制也頁起另一種任務，也就是把出版品中已包
涵的知識，以索引方式標示出來，可減少書籍之重

覆。如此可以避免研究之浪費,並檢查出無用的出版品,所謂出版品的「節育運動」,除此之外,書目控制可以用來發現文獻出版有無漏洞之處,並指出需要撰寫那些書籍❶❷。

　　書目控制可謂是因為便於圖書資料之利用、傳遞與管理,而產生的方法與制度,至少應對下列各項問題提供答案❶❸:

一、某位作者撰寫了什麼書籍?出版些什麼?

二、對某些出版品可用到的版本是什麼?

三、某些國家出版了什麼出版品?收藏地在何處?
　　　如何獲得此圖籍或書刊?

四、某門資料出現的型態為何?書型?非書型?印
　　　刷性?視聽資料?或其他媒體如光碟、磁片、
　　　線上檢索機讀式資料庫?

　　陳昭珍博士曾歸納幾個人的意見,認為書目控制的範圍頗廣,極難界定,舉凡資料的收集、書目的編製、新儲存媒體的發展、標準的訂定、傳輸格式與通訊、科技的設計,以致於最終資料的供應都屬於書目控制的範圍❶❹。

　　書目控制可分成二類:

一、國家書目控制 (National Bibliographic Control)

以出版品呈繳制度收集資料，使全國圖書館獲得權威性的書目資料，據之編印全國性圖書目錄或建立的機讀式書目資料庫，其主要目的就是要建立國家書目控制。

因為知識泛濫，出版品爆炸及館舍空間不敷等壓力，沒有一個國家的圖書館體系可以有限的經費、人力和館舍來徵集、管理及收藏該館讀者所需要的資料，必須仰賴國家書目控制來進行圖書館之間的合作活動。每一個具備圖書資料的單位都有書目控制的設施，例如個別的圖書館藏書目錄、某作家之著述目錄、聯合目錄以及全國圖書目錄。

二、國際書目控制 (Universal Bibliographic Control)

上述實施國家書目控制促成的壓力在國際間普遍的呈現，為了要互通有無，達到資源共享的目的，必須要有國際書目控制的措施。這種觀念可以追溯到一百餘年前英國圖書館協會召開第一次會議時所提到有關編目規劃的一致化與出版品預行編目等議題。現代國際書目控制的

措施是在一九五〇年代開始，美國四八〇公共法案 (PL480) 編目分擔計畫、徵集國外富學術價值圖書的法明登計畫、六〇年代國家採編計畫，以及聯合目錄等等，都是促成國際書目控制構想具體化的表徵。國際圖書館協會聯盟在海牙舉行大會，宣佈合作編目計畫，正式讓各國圖書館體認到全盤書目控制的重要性。一九六九年在丹麥召開的國際編目專家會議中 Honore 所作的以下建議，並為大會通過為決議案：「我們應致力於國際交換制度，建立著錄標準，每一本出版品都以此著錄。這套制度有效與否完全在於書目著錄之內容與型式之一致化與標準化、」**⑮**。為了便於聯繫協調，國際圖書館協會聯盟在一九七一年成立編目機構委員會，此正式於一九七五年成為國際書目控制計劃的總部，一九八六年國際圖書館協會聯盟決定將國際書目控制總部與國際機讀式編目計畫合併，改稱為 UBCIM Programme 亦即 Universal Bibliographic Control 與 International MARC Programme 之合稱，並決定自一九九〇年開始將此總部由英國圖書館移轉到德國的 Deustche Biblioteche 集中辦理。

　　國際圖書館協會聯盟致力於國際書目控制的努力很多，其重大的工作可以歸納如下 ⓰ :

一、製訂各類資料之國際著錄標準 (ISBD)

　　㈠ (International Standard Bibliographic Description for Monographing Publications) 國際單刊本 (專論) 圖書著錄標準，簡稱 ISBD (M)，一九七〇年初版，第二版，第三版及修正版相繼於一九七四年、一九七八年、一九八七年出版。

　　㈡ 國際地圖著錄標準 ISBD (CM)，出版於一九七七年；一九八七年出版修訂本。

　　㈢ 國際非書資料著錄標準 ISBD (NBM)，出版於一九七七年；一九八七年出版修訂本。

　　㈣ 一般原則 ISBD(G)，出版於一九七七年。

　　㈤ 國際期刊著錄標準 ISBD (S)，出版於一九八〇年，一九八九年出版修正本。

　　㈥ 國際樂譜著錄標準 ISBD (PM)，出版於一九八〇年，一九八九年出版修正本。

　　㈦ 國際電腦檔著錄標準 ISBD (CF) 於一九九〇年出版。

二、制定國家書目出版標準，以推動國家書目的編

印：

㈠ *Guidelines for National Bibliographic Agency and the National Bibilography*。

㈡ 書目控制手冊 (*Manual of Bibliographic Control*）。

三、發展並規定使用國際標準圖書號碼 (ISBN) 及國際標準期刊號碼 (ISSN)。

四、推行出版品預行編目制度 (Cataloging in Publication 簡稱 CIP)：出版 *Guidelines for CIP and Recommended Standards for Cataloging*。

五、制訂國際機讀編目交換格式 UNIMARC Format 出版 *UNIMARC Manual, Guidelines for Authority and Reference Entries, UNIMARC Format for Authorities* 並研究編訂國際權威資料標準號碼 (International Authority Data Number) 的可行性。

六、國際出版品獲得計畫 (Universal Availability of Publications) 簡稱 UAP，主要目的在促進讀者容易獲得資料。

七、國際資料流通與通訊計畫 (UDT)：由於國際間系

統與系統之間尚無法有效的交流資訊，國際圖
書館協會聯盟於一九八八年成立「跨國界資料
傳輸」計畫，以研究開放系統 (OSI) 通訊標準應
用到圖書館的種種問題：一九九〇年研究的重
點是：㈠協助圖書館採用 OSI 為基礎的軟體。㈡
研究如何利用現有的學術研究網路以支援利用
書目的可行性。㈢研究統整標準和傳輸技術的
可行性。㈣探討套裝無線電網路的可用性。㈤
研究結合與電子資料交換 (Electronic Data
Interchange) 的可能性。

由以上的努力可以了解，書目控制的最終目的
是促進圖書資料之利用。最近國際書目控制計畫在
積極推行立國家書目中心的理念，以期更進一步地
促進書目控制實行。

國家圖書館與書目控制

在中華民國自由地區唯一的國家圖書館，依照該
館組織條例規定，是掌理圖書之蒐集、編藏、考訂、
展覽及全國圖書館事業之研究、輔導事宜。主要的七
項任務中有三項都是和書目控制有密切關係的 ❼。

從蔣復璁先生創館起就開始重視書目控制，不斷提倡、建立相關制度，改進並努力執行。經由呈繳制度徵集國內出版品，參與出版法之制訂、國際出版品交換、編印多種書目、編印編目卡片及訂定編目規劃和分類法等等。早年措施奠定了原國立中央圖書館在書目控制方面的作業基礎⑱。其後歷任館長均以書目控制為其首要工作。民國六〇年代王振鵠教授擔任國家圖書館館長後，採納了本人所提關進行自動化作業意見，更積極地參與國際書目控制的活動。首先就是根據國際著錄標準來修訂我國的編目規劃，根據UNIMARC來制訂中文機讀編目格式，並且採用國際標準書號(ISBN)和國際標準期刊號(ISSN)。後來王館長更進一步以任務編組，成立國際標準書號中心、全國書目資訊網路及資訊中心，推行出版品預行編目計畫，更落實書目控制的工作。繼任的楊館長崇森也積極貫徹這些計畫的繼續改進與推行。現任曾館長濟羣更在民國八十一年七月三十一日以「國立中央圖書館的定位及其發展探討」為題發表談話，在說明該館之定位和未來發展方向時，不斷地將重點環繞在書目控制的基礎工作上，例如加速推動ISBN，ISSN和CIP制度，限期完成資

訊網的建立、計畫整理善本古籍，建立大陸圖書資料室等構想都是與書目控制的觀念、措施與執行息息相關的❶⑨。茲將國家圖書館遷台後，在書目控制方面所作的努力，分析如下：

一、制訂及推行標準

　　㈠根據 ISBD 與中國圖書館學會合作修訂我國編目規則，使之符合國際標準。

　　㈡根據 UNIMARC 於民國六十九年研訂「中文圖書機讀編目格式」，並於民國七十年出版，同年編印「中文圖書機讀編目格式使用手冊」。民國七十一年九月完成研討「非書資料機讀編目格式」與「圖書機讀編目格式」合併彙編為「中國機讀編目格式」。民國七十二年制訂「中國善本圖書及金石拓片之格式」，於民國七十三年重新出版。民國七十二年訂定「國立中央圖書館文獻分析機讀編目格式」，將人工編輯索引之工作轉入電腦化作業。又參考一九八四年出版的「國際機讀編目權威記錄格式」及「美國國會圖書館機讀編目權威記錄格式」擬訂「中國機讀編目權威記

錄格式初稿」。

㈢採用國際標準圖書號碼 (ISBN) 及國際標準期刊
號碼 (ISSN)，並於民國七十八年正式成立國際
標準書號中心，加以推廣標準書號之採用，
代表國家執行國內出版品國際書號之申請與
編製工作。

二、編印以下國家書目、索引及各類書目、並印製
目錄卡提供書目磁帶：㈠中華民國出版圖書目
錄、㈡中華民國期刊論文索引、㈢中華民國政
府公報索引、㈣中華民國行政機關出版品目錄、
㈤中華民國中文期刊聯合目錄、㈥國立中央圖
書館館藏西文政府出版品專題選目、㈦西文人
文及社會科學期刊聯合目錄。

　　另有以下人工編印之書目與索引：㈠臺灣
公藏方志聯合目錄、㈡國立中央圖書館宋本圖
錄、㈢國立中央圖書館金元本圖錄、㈣明人傳
記資料索引、㈤國立中央圖書館善本書目增訂
本、㈥國立北平圖書館善本書目、㈦臺灣公藏
善本書目書名索引、㈧臺灣公藏善本書目人名
索引、㈨國立中央圖書館墓誌拓片目錄、㈩行

政院大埔書庫線裝書目錄、㈪善本圖書彩色幻燈片選輯、㈫臺灣公藏普通本線裝書目人名索引、㈬臺灣公藏普通本線裝書目書名索引、㈭國立中央圖書館善本題跋真跡、㈮國立中央圖書館金石拓片簡目、㈯中國歷代藝文總志集部、㈰國立中央圖書館特藏選錄、㈱國立中央圖書館善本書目增訂二版、㈲中國歷代藝文志集部、㈳無求備齋文庫諸子書目、㈴剛伐邑齋藏書志等。

漢學中心亦編印十三種對書目控制很有效的工具書：

㈠外文期刊漢學評論彙目(季刊)及㈡臺灣地漢學論著選目、㈢光復以來臺灣地區出版人類學論著目錄、㈣近代東北區域研究資料目錄、㈤中華民國臺灣地區公藏方志目錄、㈥中韓關係中文論文論著目錄、㈦敦煌學研究論著目錄、㈧中國家庭之研究論著目錄、㈨*Bibliography of Western Books on Tang Dynasty*、㈩二十世紀中國作家筆名錄、㈪經學研究論著目錄、㈫中外六朝文學研究文獻目錄增訂本、㈬經義考索引。

三、建立資料庫、資訊網路及全國書目資訊中心❷：

　　以上所提到的中華民國期刊論文索引第七
種電腦編印的目錄或索引本身也是資料庫。民
國八十年該館還把中文書目和期刊論文索引製
成光碟片，提供電腦編目和線上查詢之用。

　　民國七十六年開始，國家圖書館就積極發
展全國書目資訊網路，民國七十九年九月成立
「全國書目資訊中心」，到民國八十年十月與
十六所國立大學圖書館合作，正式開始合作編
目系統，共用建立書目資料庫，不但可互通有
無，更可節省人力，達到一館編目，多館分享
的目的。

四、推行出版品預行編目 (CIP) 制度，與 ISBN 申請工
　　作配合，可使新書出版與編目同步完成，提昇
　　編目效率，使之一致化，縮短技術服務時間，
　　達到便利讀者早日利用新書之目的。換言之，
　　這就是達到最終書目控制的理想便利讀者利用，
　　增加圖書可獲性 (availability) 最佳的途徑。

結 語

　　國家圖書館執行書目控制是其基本任務所在，

書目控制也是促使國家圖書館發揮功能的有效途徑之一，只有國家圖書館員責書目控制的工作，才能使書目控制達到圓滿的境界。相互配合確是兩者成功的要素。

我國國家圖書館由創館至今六十餘年來，對書目控制的體認可謂是非常的深入，對於書目控制的執行也很嚴謹。如何使之百尺竿頭更上一層，不僅只靠國家圖書館單獨的努力，更要依賴國外各類圖書館的合作、出版社的配合及政府的支援。

我國家圖書館已掌握了國內及國際書目控制的要點，並打好穩固的基礎，這是深深值得慶賀的。在標準的訂定方面，尚待發展和努力。所訂的標準必須與國際標準配合，標準國際化是努力的方向。標準的時效性是另一點值得注意的，因應時代需求與變化，而經常定期檢視，配合國際趨勢，加以修訂。我們回顧一下，可以發現尚未能實現的書目控制工具之一，是我國尚未能訂定出完整的標題和索引典。希望在我國國家圖書館的領導下，早日完成這項重要的工作。

書目控制的基礎建立出版品呈繳制度上，這就是要看出版單位是否能遵守政府的法令，如期及如

數地呈繳新出版的圖籍。出版社不要把呈繳的活動認為是一種無奈且被動的責任。事實上納入國家書目等於是國家圖書館在為此圖書作宣傳，促使這本出版品讓讀者知道而加以使用。這種促銷的動作應為出版社所重視，而自動地配合政令，如期及如數地將出版品繳到國立中央圖書館去。編輯時、出版前，向國家圖書館申請國際標準書號或期刊號，予以預行編目，也一樣有異曲同工促銷之效。全國書目控制是否能完整，必須要全國圖書館的精誠團結與合作，參與合作編目計畫，加入資訊網狀組織。資訊時代中圖書館的效率建立在合作的意願，採用一致性和標準化的設備和作業方式上。個別圖書館應該放棄自行發展的獨立作風，只是一個圖書館的庋藏豐富，或自動化作業成功是無法在資訊共享的社會裏生存的。因此圖書館之間的合作，以及中央領導單位對各圖書館的需求，要作深入的了解和配合，都是促進書目控制、發揮國家圖書館功能的必要條件。

　　我國國家圖書館在書目控制上投下的心力不少。目前又因應國際書目控制的潮流，建立書目資訊中心。所需的資源包括人力資源、財力資源和圖書資

源。一部分圖書資源可由呈繳制度的切實執行、國
際出版品交換等途徑獲得滿足，另一大部份是須要
有經費去徵集來供使用的。

　　自民國三十四年至民國八十五年組織條例修正
公佈之前，編制內的員額未作調整，原中央圖書館
在如此精簡的人力下，提供如此多元化和精湛的服
務，真是令人欽佩。這是館長領導有方也是同仁們
精誠合作，發揮最高專業精神的表徵。在業務增加
了數十倍的情形下，巧婦實在無法作無米之炊。站
在一個希望專業機構能充份發揮效率、國家建設能
圓滿的達成任務的立場，誠摯地盼望政府能給予我
國的國家圖書館，適當的人力和物力資源的支援，
使之更完整發揮國家圖書館及書目控制的功能。

附 註

❶ David C. Mearns, "Current Trends in National Libraries," *Library Trends* 4（July 1955）: 99.

❷ Frank C. Francis, "The Organization Libraris,"*National Libra-ries: Their Problems and Prospects.* (Paris: UNESCO, 1960), pp.21～26.

❸ *Report of the Committee on Libraries, (Parry Report),* (London

HMSO, 1967), p.81.

❹蔣復璁,「國立中央圖書館之意義與回顧」,大陸雜誌,第56卷,(民國67年):5～52。

❺Margaret C. Fung, *The Evolving Social Mission of the National Central Library in China*, 1928～1966, (Taipei: National Institute for Compilation and Translation, 1994), pp.15～19.

❻胡述兆,「淺談國家圖書館功能」,國立中央圖書館館訊,第11卷第3期(民國78年8月):20～ 21。

❼王振鵠,「國家圖書館」,國立中央圖書館館訊,第11卷第3期(民國78年8月):4。

❽Lawrence G. Livingston, "National Bibliographic Control: A Challenge, " *Library of Congress Information Bulletin*, 33 (June 21, 1974):109.

❾Dorathy Anderson, "The Role of the National Bibliographic Centre, "*Library Trends.* 25(3), (January 1977):648.

❿Ronald Davinson, *Bibliographic Control.* (London: Clive Bingley, 1975), p.p.7～8.

⓫W. D. Robert, "Reflectcions on International Bibliographic Standards," in International Syposium on Information Technology: Standards for Bibliographic Control. (Bangkok: Thammasat University Libraries, 1989), p.3.

⓬Bassie Graham, *The Readers' Adviser*, 8th ed, (N. Y. : Bowker, 1958) Preface.

⓭張鼎鍾,「國際書目控制」,圖書館與資訊,(新竹楓

城出版社，民國68年），頁2。

⓮ 陳昭珍，「IFLA 國際書目控制工作之探討」，圖書館學刊（台大），第7卷（民國80年11月）：56。

⓯ 同⓬，頁8～9。

⓰ Pauline A. Cochrane, "Universal Bibliographic: Its Role in the Availability of Information and Konwledge, " *Library Resources and Technical Services* 34(4) (October, 1990): 423～431.

⓱ 國立中央圖書館編，「國立中央圖書館讀者指引」，（台北，該館，民國77年），頁2-3；國立中央圖書館簡介（民國80年12月）。

⓲ 同⓯，頁244～247。

⓳ 曾濟群，「國立中央圖書館的定位及其發展探討」，國立中央圖書館館訊，第14卷第3期，（民國81年8月）：2～5。

⓴ 羅禮曼、許令華「全國圖書資訊網路系統啓用」，國立中央圖書館館訊，第14卷第1期，（民國81年2月）：24；羅禮曼「全國圖書資訊網線上合作編目系統簡介」，國立中央圖書館館訊，第13卷第4期（民國80年11月）：9～12；胡歐蘭「國家書目資訊網之建立與發展」，中國圖書館學會會報，第41期（民國76年12月）：65～73；王振鵠講，郭乃華記：「書目控制與書目中心」，國立成功大學通訊，第7期，（民國81年7月）：1～6。

本文曾刊於＜國立中央圖書館館刊＞，第26卷第1期（民國82年4月）：29～38。

漢學資料之書目控制

前言

　　廿一世紀即將來臨，世界上充滿了不安、動亂、及危機的今天，國際間因為我文化的優越特性，而對中華文化發生濃厚的興趣，中國學術的研究已為世界顯學。雖然在名稱上眾說紛紜❶，我國人士稱其為「國學」、「國故」、「國粹」、「華學」或「漢學」，日本人和韓人分別稱中華文化研究為「支那學」和「中國學」，西洋人稱它為 Sinology 或 Chinese Studies，經翻譯為「漢學」或「中國研究」❷。Sino 原指中國而言，將 Sinology 譯為「漢學」或「中國研究」，無論是因為中國百分之九十五以上的人屬於漢族，或者是因為中國在歷史上，以漢朝是為最強盛的時代，而用漢代之名來代表。凡此都不影響研究中國學術的本質與精神。每一個國家學術文化的進步，有賴該國國人對於其特殊體系的學術及其祖先遺留之創見具有深透的了解，而後始能加以整理、發揚，而延綿後代。我國承襲了悠久而輝煌的歷史，和豐碩而淵博的文化，現代中國人用有系統的方式，來對這些知識作深入的研究，進而發揚

光大是責無旁貸的。因為中國文化中「仁愛」及
「大同」的特性，當可為求解脫目前世界動亂的危
機和衝突，提供一有利途徑，發揚大中華文化就是
這一途徑。因此運用科學方法，來進行中國學術的
研究乃形成一股熱潮。當此文化建設和文化復興的
時候，政府和民間對中華文化研究的倡導，推動和
鼓勵是不遺餘力的。本文針對漢學研究的內涵，漢
學研究之基本工具，以及如何促使此基本活動達成
其預期復興並建設中華文化的效果作一概略性的深
討。

漢學的範疇

　　根據國學家高明教授解釋，中國學術整體的研
究有其特殊的體系。現就目標、依據、內涵和精神
分別來說明❸。

　　在目標方面，中國學術是為追尋、把握、適應、
踐履天、地、人應循的道路，即所謂「志於道」。

一、中國學術的依據，就是德性與德行，達到「天
　　人合德」的境界，這就是「據於德」。

二、中國學術的內涵是在於各種學術「藝」的研究，
　　沈潛涵詠，憑智慧的發揮來陶冶人格。

三、精神方面：中國的學術的精神是仁愛的情操，
　　所以要用「仁」來說明。

　　此特殊學術體系所研究的範圍十分廣泛，可以
分成四大類：

一、考據之學：包括㈠語文的語言學、語彙學、語
　　音學和語法學；㈡研究字形結構和變遷的文字
　　學，其中含說文學、古文字學、字樣學和俗文
　　字學等；㈢研究字首的結構和變遷的聲韻學，
　　其中含羣雅學、釋名學和釋詞學等；㈣研究書
　　籍的目錄學、版本學、校勘學、辨偽學和輯佚
　　學等；㈤研究文物的考古學、金石學、甲骨學、
　　簡策學、敦煌學及庫檔學等。

二、義理之學：包括㈠周易、尚書、詩經、三禮
　　（儀禮、周禮、禮記）、春秋三傳、論語及孝
　　經等經學；㈡儒、道、墨、法、名、陰陽、雜
　　家等子學；㈢各派佛學；㈣各派理學如濂、洛、
　　閩、浙、贛等派以及㈤新哲學等。

三、經世之學：包括天文學等自然科學、政治學、
　　財政學、經濟學（食貨學）、法學、外交學
　　（縱橫學）、教育學等社會科學及水利學、工
　　藝學、醫藥學、中國現狀等應用科學。

四、詞章之學（即文藝學）：包括文法、修辭、詩
　　學、詞學、戲劇、小說等文學、音樂、書畫舞
　　蹈、雕塑與刺繡等藝術。

　　我國學術有理論性考據之學和義理之學，有實
用的經世之學和發抒情意的詞章學，都是「真」、
「善」、「美」的表徵，由此可見中國學術所追求
的完整性。根據周法高教授的說明，漢學研究包括
對中國人文科學和社會科學方面的研究，包括對中
國文化史的一切研究、中國科學史的研究及中共問
題研究，文學藝術亦屬漢學研究的對象❹。因此一切
有關中國文化的理論和實務的學問均屬於漢學的範
疇，但人的精力究竟有限，雖多僅能專攻其中一部
份，但均以發揚中華文化為最終目的。其中每一部
份與其他部分都密切相關，難以劃分得經緯分明，
致而漢學逐漸傾向整合，而成為一種科際（Inter-
disciplinary）學科❺。

　　為了要在國內提供漢學研究一個優良的學術環
境，並將漢學研究引為國人自己的責任，對於資料
的有效蒐集與運用，如何有效完成漢學資料之書目
控制，確為當務之急。

書目控制與漢學研究

　　目前致力於漢學研究的人數不少，世界各國的
中外漢學家都有卓越的績效❻。無論採那一種方式來
進行研究，無論從那一個角度來作分析和證實，前
人研究的成果和現階段進行中之研究都是新研究的
根據所在❼。我國有許多研究都無法以前人的經驗為
基礎，每需重起爐灶，從頭開始。究其原因乃由於
文獻未經整理、圖書缺乏索引、典籍未作摘要、或
工具書排列方法不恰當、索引方式龐雜紊亂，難予
檢索，致而有失傳或重覆研究之虞。換言之，我國
缺乏對研究資料作有效的書目控制bibliographic control。

　　書目控制是將與研究主題有關的書籍、論文及
其他文獻和文物作一有系統的整理，加以剖析、分
類而後編製書目、索引或摘要，標出來源及所在地，
俾能有效利用此類資料。因之欲促進漢學發展，增
進漢學研究的深度和廣度就必須仰賴書目控制有效
的執行。自民國四十六年開始，教育部張其昀部長
率先大力推展設立國際漢學研究中心的構想，民國
五十三年周法高先生出版漢學論集、民五十五年屈
萬里先生再次提倡；民國六十四年羅錦堂先生在國

建會提出實體而完整的計畫❽。民國六十五年四月四日聯合報為導循　蔣公遺訓復興中華文化出了一本專集，討論如何使台灣成為世界性的中國文化研究中心❾。學者如蔣復璁、昌彼得、周道濟、張以仁、劉兆祐、嚴耕望、黃得時等諸位教授及圖書館從業同道都關心漢學的研究和發展。他們都強調圖書資料是漢學研究必備的資源。在政府大力提倡文化建設之後，由國家圖書館（原名國立中央國書館）前館長王振鵠教授的大力推動策畫下，該館於民國七十年成立之漢學研究資料及服務中心，於七十六年更名為漢學研究中心，其工作重點是：

一、推動世界漢學研究，包括組織集體研究，資助　　海外學人來華研究，及舉辦各項學術活動。

　　㈠蒐集、整理世界各地之漢學資源，影印散佚　　　　在外之中國古籍，並編印書目、索引等工具　　　　書，提供學人參考。

　　㈡出版〈漢學研究通訊〉季刊，追蹤報導國內　　　　外中國人文研究之最新動態與台灣地區之期　　　　刊論文目錄。

　　㈢出版〈漢學研究〉學報及其它漢學類論著。

　　㈣建立國內外中國人文研究之人才專長檔。

(五) 提供各種資料流通服務，包括影印及代購書籍服務等。

(六) 舉辦國際性會議，邀請著名學者參加研討。

二、聯合報也設置了國學文獻館進行下列工作❿：

(一) 調查世界各地所藏之國學文獻，圖書資料及研究論文，予以攝成微縮片集藏整理。

(二) 編製中國舊籍聯合目錄分類陸續出版，以供研究者查索。

(三) 整理出版宋元善本有關文獻研究以及編印參考工具書如索引等。

(四) 闢設閱覽室、公開收藏之微捲微片以供研究。

(五) 提供國學資料服務；如複製微捲微片等研究用資料，及代辦國學文獻出版品等。

(六) 提供國學研究服務：如協助解答國學研究之諮詢及設置學人研究專室。

(七) 設置補助金以供國內外學者從事收集整理國學文獻之用。

(八) 設置講座、舉辦演講會、座談會、展覽會及國際性之學人會議進行專題研究。

綜觀兩者服務項目均以調查蒐集漢學資料，編印書目及索引為要務。前者已出版了〈漢學研究通

訊〉、〈外文期刊漢學論評彙目〉、〈漢學研究〉、
〈台灣地區漢學論著選目〉、〈光復以來台灣地區
出版人類學論著目錄〉等重要資料⓫，並對海外三十
三個國家，二個地區的二二八個單位作了漢學資源
調查錄，提供漢學資源所在地及各館藏特色⓬。後者
配合當時的國立中央圖書館蒐集國外之資料，以清
文集和中國族譜為主，並出版了〈中國歷代詩文別
集聯合書目〉、〈國學文獻館現藏中國族譜序列選
刊〉等⓭。兩者協調甚為適當，使政府機關和私人企
業都能為促進漢學研究而盡力。

　　書目控制的方法很多，目前用目錄來控制的，
以內容，分有㈠綜合性㈡學科性；以藏書情形來分，
有地區性的聯合目錄；專題性聯合目錄及個別圖書
館的藏書目錄；以索引摘要來分有單書的、期刊論
文的及主題性的。自一九六〇年代將電腦應用到圖
書館作業以來，七十年代開始有線上目錄。近年來，
我國在編製索引和目錄方面有長足的進步，工具書
的編纂亦蔚然成風。

　　國外在這方面也頗盡心力，近三十年來出版的
工具書均有助於書目控制⓮，例如：

　　美國哥倫比亞大學東亞圖書館編〈中國學術期

刊索引〉（民國 51 年）。

美國阿內桑那大學 Charles Hucker 編 *China ： A Critical Bibliography* (民國五十一年), John Lust 編印的 *Index Sinicus: A Catalogue of Articles Relating China in Periodicals and Other Collective Publications 1920-1955* (民國 53 年)。

美國方面繼一九二〇年代哈佛大學哈佛燕京學社的各種引得及〈漢和圖書館漢籍分類目錄〉出版之後，近十幾年來出版的藏書目錄很多，舉其犖犖大者，加州大學東亞圖書館藏書目錄 (*Author-Title and Subject Catalog of East Asiatic Library, University of California*) (民國 57 年)。

美國史丹福大學胡佛圖書館的中文藏書目錄 (*The Library Catalog of the Hoover Institute on War, Revolution, and Peace, Stanford University*) (民國 58 年)。

澳州大學圖書館編印的澳州各圖書館中文期刊聯合目錄 (*Chinese Periodicals in the Libraries of the Australian National University, the University of Sidney and the University of Melbourne: A Union List of Holdings*）(民國 62 年)。

民國六十二年費正清編的〈中國研究文獻案內〉。

英國倫敦大學編印的 *A Bibliography of Chinese*

Newspapers and Periodicals in European Libraries（民國66年）。

日本東洋文庫所藏漢籍分類目錄（民國67年）近代關係（中、日及歐文）圖書分類目錄等。

芝加哥大學（1973年）密西根大學（1978年）都由美國 G. K. Hall 出版社出版了中文圖書藏書目錄。哈佛燕京圖書館也出版了所藏善本圖書目錄。

Michel Carter 主編的漢學研究提要目錄（*Revue Bibliographie de Sinologie*）收錄民國五十五年至五十六年有關之圖書及論文一〇八五篇（民國67年版）。

日本京都大學人文科學研究所漢籍分類目錄（民國70年）

我國國家圖書館漢學研究中心出版品的性質分為三類：即消息報導、學術論著與目錄索引，有定期刊物、專門著作，有論文集，也有目錄。

一、期刊方面：

㈠〈漢學研究通訊〉（季刊）

民國七十一年元月創刊，宗旨在報導各地有關漢學研究、教學、活動、資料四項消息。內容包括：專論、研究與成果、學人專

訪、會議報導、學界消息、歐美漢學論著提
要、參考工具書選介、新近出版論文集、期
刊論文選目等欄。

(二)〈漢學研究〉（半年刊）

　　民國七十二年創刊，每年六月及十二月
出版，刊登論著與書評，為文史哲等綜合性
漢學學報，本刊旨在提供學人發表研究成果
的園地，進而促進國內學術研究風氣，並期
籍以樹立本中心之學術基礎。

(三)〈臺灣地區漢學論著選目〉（年刊）及五年
彙編本

　　民國七十二年創刊，每年四月出版，就
前一年內臺灣地區出版之專著、期刊論文、
論文集，以及未正式出版之學位論文，加以
選擇分類編輯而成，每年約二千條，附有著
者索引，另年版五年彙編本。惜此刊物已於
八十二年停刊，內容則登載於〈漢學研究通
訊〉上。

(四)〈外文期刊漢學論評彙目〉（季刊）

　　民國七十三年二月創刊，收錄外文學術
期刊中有關漢學研究論文及書評，宗旨在加

強報導國外研究成果，供國內學人進一步參考。選錄英、法、德、日等有關漢學之外文期刊約 270 種。

㈤ *Digest of Chinese Studies*（中國研究文摘）：

（近年來，全美中國研究協會（American Association for Chinese Studies）與中心合作編印「文摘」自一九八六年開始每年出版一輯，由該中心提供初選評介書單，選介國內有關經濟、歷史、社會、政治、文學五種論著，作為該會評介之參考，並由該中心頁責印製。

二、叢刊方面：

該中心叢刊分論著類、研究獎助類及目錄類三種，包括：

㈠ 漢學研究中心叢刊論著類

1.〈第二屆中國社會經濟史研討會論文集〉（民國 72 年）

2.〈第二屆敦煌學國際研討會論文集〉（民國 80 年）

3.〈中國人的價值觀國際研討會論文集〉（民國 81 年）

4.〈民間信仰與中國文化國際研討會〉（民

國 83 年）

㈡ 漢學研究中心叢刊研究獎助類

1. 〈 1985 年的蘇俄東干族：生辰、婚禮、喪禮與集體農場生活〉（民國 80 年）

2. *The Selection of Government Personnel*： *The Role of Private Interest-Former Han China* （ *260 B.C.-8 A.D.* ）

㈢ 漢學研究中心叢刊目錄類

1. 〈光復以來臺灣地區出版人類學論著目錄〉（民國 72 年）

2. 〈近代東北區域研究資料目錄〉（民國 73 年）

3. 〈中華民國臺灣地區公藏方志目錄〉（民國 74 年）

由漢學研究資料及服務中心編輯出版。本目由臺大歷史系王德毅教授據七十年出版之〈臺灣公藏方志聯合目錄〉加以重編，增錄日本內閣、淺草等文庫之明清方志及本地區新印方志等，計收編四千六百多種，較舊目增加近千種。

4. 〈敦煌學研究論著目錄〉（民國 76 年）

5. 〈中韓關係中文論著目錄〉（民國76年）

6. 〈中國家庭之研究論著目錄〉（民國76年）

7. 〈唐代文學西文論著選目〉（民國77年）

8. 〈二十世紀中國作家筆名錄〉（民國78年）

9. 〈經學研究論著目錄〉（民國78年）

10. 〈中外六朝文學研究文獻目錄增訂本〉（民國81年）

11. 〈經義考索引〉（民國80年）

12. 雷金慶、李木蘭合編〈當代中文小說英文譯評八錄〉，1945～1992（民國82年）

(四) 其他

1. 〈漢學研究中心景照海外佚存古籍書目初編〉（民國79年）

2. 〈臺灣地區漢學資源選介〉（民國77年）。內容包括：國史館、中央研究院歷史語言研究所、中央研究院近代史研究所、故宮博物院、黨史會、國家圖書館、國立台灣圖書館（原名中央圖書館臺灣分館）、臺灣大學圖書館法務部調查局、臺灣省文獻會等資料單位的歷史沿革、蒐藏特色與出版情形。

3. 〈漢學圖書展覽目錄〉（民國80年出版第
　　六本）

以上的出版品都有助於漢學研究的進行。

漢學書目控制是漢學研究中心的主體，也是所有漢學研究的基礎。雖然國內外都很重視這項工作，但缺乏協調與整體的作業是美中不足之處。

自動化作業與漢學書目控制

凡是經過整理、分析、組織而產生的成果是資訊，書目控制的成品 —— 書目及索引就是資訊的一種形態。國內研究用的漢學資料普遍受到重視，故宮博物院、國家圖書館及國立台灣圖書館的豐富藏書，由周法高先生在其「台灣公藏文獻資料鳥瞰」一文中有很好的歸納❺。他說台灣有世界最豐富的未刊本的中國近代史檔案、最有價值的中國藝術史資料、最豐富的宋元明本善本書、最大量的方志、最豐富的明實錄資料、最豐富的金石拓片、最豐富的殷墟安陽考古資料、大規模的俗曲資料以及最豐富的台灣高山族資料和台灣考古資料。這些珍貴的資料雖經局部整理、分析而成為資訊，但是若能有通盤計畫，對於文獻所用的檢索語的編訂，索引法之統一

等等有所研討，以分工合作、協調一致的方式及新
穎的工具－電腦來進行必能更增效益運用自動化電
腦作業可以使整理、分析和利用更上一層樓。

　　當我國資訊工業正發達之時，運用中文電腦來
處理資料，在硬軟體上的問題大致均已一一克服，
尤其是在資訊工業已被提升為策略性工業時，特別
提倡並輔導電腦工業，中文電腦的發展是開發我國
獨特性資訊產品的主力。中文終端機、中文文字處
理機、中文電傳機、中文中小企業應用軟體、中文
電腦輔助教學、中文圖書自動化作業都是發揮中文
電腦處理功能，使之成為國內推動自動化管理的重
要工具❶。

　　運用電腦來提高圖書館服務素質、保存中華文
化並達到資訊交流及互享等目的是最有效的途徑。
這一點已為大家所認識，我國圖書資訊系統也因此
隨著時代的潮流，從基本開始，由標準的制訂開始
著手。民國六十四年開始，作者致力於中國圖書資
料自動化作業的研究，獲得可行性的證實，於民國
六十九年建議由中國圖書館學會和原國立中央圖書
館聯合成立全國圖書館自動化作業規畫委員會下設
編目規則工作小組，中文機讀編目格式工作小組及

標題工作小組，分別對圖書館自動化作業所須根據的標準進行研訂的工作。在這個規畫委員會沒有成立以前，國立台灣師範大學、原國立中央圖書館、農資中心自由基金會都個別建立了資料庫，作個別單元性的書目控制❼。自民國六十九年開始按計畫進行，雖在標準上有些成果，民國七十年完成普通圖書機讀編目格式，接著研討非書資料機讀編目格式，七十一年研訂善本書機讀編目格式，先後於民國七十年在台舉辦的中文圖書資料自動化國際研討會，同年八月在德國召開的國際圖書館學會聯盟年會，七十一年八月在澳州舉辦的中文書目自動化國際合作會議，七十一年及七十二年十月在美國資訊科學學會年會中發表，深獲世界各國圖書資訊界的重視❽。其中尤以善本書機讀編目格式，將我國傳統書籍的特色表露無遺，民國七十年七月原國立中央圖書館開始與國立台灣大學、私立淡江大學、原中央圖書館台灣分館等合作，將七十年起在台灣地區出版的中文圖書建檔，又將台灣地區一七〇多所圖書館所藏的期刊建檔，作線上書目控制的嘗試。善本圖書也正在建檔中，這二萬多冊的善本書將料其特性輸入資料庫，提供迅速、完整及更確實的資料❾。以

善本機讀目錄為例，圖書館自動化除一般統計外，可以在書目控制上做到三點：

一、線上作業：線上輸入、更新、修正及檢索。

二、自動印製目錄卡。

三、自動印製書本目錄。

除了可以用書名、作者等之一般圖書的檢索項目來檢索外，當可由版本、出版地、出版者、出版年、刻工、裝訂情況、藏印等來查出資料。

我國圖書館的系統已可到有效的書目控制，減少重覆的編目工作，節省人力，並能克服編目不一致的困擾，便於利用，更可達到資源交流及資訊共享之效。

我國圖書資訊系統在起步時方向正確，先擬訂標準，然後按步進行，以期達到共享資源，構成資訊網的目標。圖書資訊的關鍵在於完善的書目控制，故而與其他的行政資訊系統性質稍異；在行政資訊系統裡，自動作業可能作業是限於機構內部作業，只有單一機構（Single institutional）性質，圖書資料書目控制志在共享，其作用不限於某一單本身，必須要擴大到提供其他單位的讀者及館員使用，比較強調機構與機構之間 inter-institutional 的性質。圖書館

自動化的書目控制部份應強調資訊的共享，這也是
電腦化可以更有效地提供給研究者使用的工具。近
年來學術網路的建立更能使書目控制發展得更完善。

結 論

　　圖書資料經過書目控制，可以有效地提供給研
究考核用，這是研究工作的基礎，漢學資料範圍廣
泛，在研究時更有此必要。我國所存的漢學研究資
料雖甚豐富，而流散在海外歷代珍貴的文獻為數也
很可觀。總之，我國對自己的文化要加強研究，必
須要建立一個實質的漢學研究中心，其先決條件則
應遵照故宮博物院蔣前院長復璁所提示，應該在整
理、宣揚、收藏、校勘、編纂上下功夫❷⓿。換言之圖
書資料的書目控制是所有研究的出發點也是最終目
的。目前已可用電腦將書目控制做到較圓滿的地步，
但是有些基本問題待加探討，諸如索引用關鍵字、
詞彙的建立及資訊服務分工協調的工具等，也就是
說，資訊服務業缺乏一個完整的資訊服務政策性的
規範。因為沒有政策可循，就會有缺乏協調，各立
門戶，互不相通的情形發生。這種現象不能提高研
究的層面，反而阻礙進步。舉凡社會邁入有秩序、

有理性、進步和富強境界中，每項業務執行都應以
法則、規範、及一定的標準和策略為依據。規範與
策略與社會的進步息息相關的。當我國科技發展到
目前進步的情形，當我國保存和創新傳統文化聲中、
文化與科技也應達到整合的階段，每一環節都應有
很明確的規畫與策略來作根據。現代國家如美國、
德國、日本等都早擬訂資訊服務方針，有了方針才
能有條不紊，職責分明地按照既定步驟向目標進行。
當我們珍惜中華文化，力求保存、維護並發揚光大
之際，由漢學研究之重要性，體認漢學資料書目控
制的必要性，可見準則與策略的必然性。在積極推
動文化建設時，以下兩項促進漢學研究工作急待推
動：

一、我國圖書資訊服務方針之擬定 ── 由國家文化建
　　設政策單位領導有關人士，擬訂我國資訊服務
　　策略或方針，供資訊服務執行單位採用。

二、書目控制工作之加強 ── 研究各類索引用字，而
　　後研訂各科所用索引字彙；㈠確訂標準索引法；
　　㈡運用現代科技工具如電腦設備，以有系統方
　　式進行下列工作：

　　1. 收集、整理、輸入我國及世界各國有關中國

  文化圖藉之索引、摘要、書目等工具資料建
立資料庫，編製各專科期刊及專著索引、摘
要、專題書目及聯合目錄。

2. 繼續召開國際漢學會議，研討國際漢學資料
交流及合作途徑與辦法，以發展國際性漢學
圖書資訊服務網狀組織，提供線上服務。

3. 在海外訪求我們所沒有之資料，予以縮影成
微片、微捲，並建立資料庫及電腦輸出微片
中心（ COM 中心）存在國內，以便利用。

4. 用最新電腦光碟系統及多媒體系統將我國所
存之文物、圖籍等影像攝入，以求存真，加
以保存、流傳及宣揚。

  以上加強漢學書目控制的淺見急須整體規畫和
分工合作的執行，一但結合新式科技成品與文化結
晶的資料於一體時，科技和文化的整合使研究資料
的利用更完整、更精確、而且更臻時效。漢學研究
工作及復興中華文化大業亦將在統一規畫及利用新
式科技成品下來播種、發芽、成長而茁壯。

附註

❶高明，「漢學名義和範疇」，幼獅學誌 第 13 卷第 1 期

（民國 65 年 11 月）：1-7。

❷同上註：李達三，「漢學研究在美國」，幼獅學誌，第 13 卷第 1 期（民國 65 年 11 月）：199-220；周法高，「漢學研究的回顧與前瞻」，幼獅學誌，第 13 卷第 1 期（民國 65 年 11 月）：30-35。

❸高明，「漢學名義和範疇」，幼獅學誌，第 13 卷第 1 期（民國 65 年 11 月）：4-7。

❹周法高，「何謂漢學」，新天地，第 2 卷第 5 期（民國 52 年 7 月）：8-10。

❺周法高，「漢學研究的回顧與前瞻」，幼獅學誌，第 13 卷第 1 期（民國 65 年 11 月）：30-37。

❻同上註；李達三，「漢學研究在美國」，幼獅學誌，第 13 卷第 1 期（民國 65 年 11 月），191-220；黃得時，「漢學研究在日本」，幼獅學誌，第 13 卷第 1 期（民國 65 年 11 月）：221-288；周清茂，中國漢學在日本（臺北：純文學月刊社，民國 57 年 10 月）林明德，「韓國漢學之興衰與展望」，海外漢學資源調查錄，（台北：漢學研究資料暨服務中心，民國 71 年），頁 350-361；應裕康、姜道章合撰，「新加坡漢學研究的現況」，海外漢學資源調查錄，（台北：漢學資料暨服務中心，民 71 年），頁 362-381；畢英賢，「蘇聯的中國研究」（漢學）」，海外漢學資源調查錄，（台北：漢學資料暨服務中心，民國 71 年），頁 382-407；何沛雄，「英國的漢學研究」，海外漢學資源調查錄，（台北：漢學資料暨服務中心，

民國71年），頁 408-427。

❼周　何，「漢學研究的方向與方法」，幼獅學誌，第 13
卷第 1 期（民國 65 年 11 月）：56-69；劉兆祐，「中國文
化研究中心應做幾項基本工作」，幼獅學誌，第 13 卷第
1 期（民國 65 年 11 月）：22-29。

❽羅錦堂，「國際漢學研究中心的構想」，幼獅學誌，第
13 卷第 1 期（民國 65 年 11 月）：8-21。

❾聯合報編，「如何使台灣成爲世界性的中國文化研究中
心」，聯合報（民國 65 年 4 月 4 日），第 15 版。

❿國立中央圖書館，「國立中央圖書館英文簡介」「1983」
，（台北：該館，民國 72 年），頁 3、12；聯合報文化
基金會，國學文獻館簡介，（台北：該基金會，民國 72
年），頁 5-6。

⓫漢學研究，第 1 卷第 1 期（民國 72 年 6 月）。

⓬汪雁秋編，海外漢學資源調查錄，（台北：漢學研究資
料暨服務中心，民國 71 年）。

⓭國學文獻館館訊，第 1 號－第 6 號（民國 71 年 8 月至 72 年
11 月）。

⓮張錦郎編著，中文參考用書指引，增訂三版（台北：文
史哲出版社，民國 72 年），頁 211-249；王省吾撰，薛吉
雄譯，「澳洲圖書館的東亞語文圖書」，海外漢學資源
調查錄，（台北：漢學研究資料暨服務中心，民國 71 年）
，頁 1-12；李國祁，「當前西德中國學研究及圖書收藏
之實況」，海外漢學資源調查錄，（台北：漢學研究資

料暨服務中心，民國71年），頁428-436；李毓澍，「日本東京有關中國近代史資料的收藏及近代中日關係史研究的概況」，海外漢學資源調查錄，（台北：漢學研究資料暨服務中心，民國71年），頁329-349；郭成棠撰，黃端儀譯，「美國各圖書館現藏之東亞資料」，海外漢學資源調查錄，（台北：漢學研究資料暨服務中心，民國71年），頁437-474；錢存訓撰，薛吉雄譯，「美國圖書館建立東亞研究館藏之發展趨勢」，海外漢學資源調查錄，（台北：漢學研究資料暨服務中心，民國71年），頁211-325。

⑮周法高，「台灣公藏文獻資料鳥瞰」，漢學論集，（民國54年8月），頁78-88；屈萬里，「台灣現存的珍本圖書和重要學術資料」，圖書館學刊，第1期（民國56年4月）：13-19；劉兆祐，「台灣所藏珍貴文史資料舉要」，幼獅月刊，第41卷第4期（民國64年4月）：22-27。

⑯資訊工業策進會，民國七十一年中文電腦市場調查分析報告，（台北：該會，民國72年），頁1。

⑰張鼎鍾，圖書館與資訊科學之探討，（台北：學生書局，民國71年），頁131-147。

⑱胡歐蘭、江琇瑛合撰，國立中央圖書館線上編目及書目查詢系統，（台北：國立中央圖書館，民國72年），頁1-2。

⑲Chinese MARC Working Group." Chinese Rare Books MARC Format: A Piolt project, " *Proceedings of the First Asian - Pacific*

Conference on Library Science, (Seoul, Korea: Cultural and Scientific Center for the Asians Pacific Region, 1983), pp.225-239.

⓴蔣復璁、昌彼得合撰,「整理宣揚集藏校勘編纂同下功夫」,聯合報(民國65年4月4日),第15版。

本文曾刊於＜當代圖書館事業論集＞,(台北:正中書局,民國83年),頁287～300。

國際標準書號應用之問題

前言

　　六十年代開始即為推展我國圖書館自動化，曾建議我國儘速採用國際標準書號〔International Standard Book Number (ISBN)〕，以因應圖書自動化作業之需求。經過同道們十餘年來的努力與研究❶，在爭取地區號時歷經很多困難，終於獲得地區代號。七十八年七月一日國家圖書館終於開始在中華民國施行此一書目控制的工具❷。

　　多年來對各種書目控制的工具甚為注意。民國七十八年曾應邀到泰國出席國際資訊技術研討會，專門討論國際書目控制之問題，國際標準書號亦在研討之列❸。大會邀本人擔任講評人，就此方面作一評論。特將各方面對此書目控制工具之意見及個人之體認撰文就教於同道。

國際標準書號的緣起與結構

　　一九六六年，國際書籍行銷研究及書商合理化會議在柏林召開第三次會議時就討論到用什麼方式

使出版界能有效地運用電腦來處理圖書的發行及盤
點工作。二十年前國際標準組織〔International
Organization for Standardization (ISO)〕就正式把國際標
準書號訂為國際標準❹。 國際標準書號是由十位數
字組成，第一段是根據國際標準組織 2108 的標準分
配給編碼中心代表地區或語文的號碼，例如 0 是代表
美、英、加、澳、紐西蘭及南非的代號，957 是指定
給我國台灣地區用的號碼。第二段號碼是代表出版
者，第三段號碼是代表書名，第四段號碼是檢查號。
每段間以橫線接。除了檢查號碼是一位數字或 X 外，
其他三段的長短無何限制。例如：University of Illinois
出版的 If You Want to Evaluate Your Library 此書的國際
標準書號是：

0－ 8 7 8 4 5   － 0 7 8 － 5
美國   伊利諾大學出版社代號 此書代號 檢查號碼

第二段出版社識別號的數字的位數可由二位到
五位不等，數字越長表示該出版社出版的數量越少，
二位數字可容納壹萬冊，三位數字是三千冊，四位
數字一百冊，五位數字十冊。第三段書名識別號則
表示每一套書或每一種書。第四段檢查號是以 "11" 為

係數來推算的，將國際標準書號前九位數字依次序分別以10到2的數用相乘，然後再將每位數字相乘的乘積加起來，用"11"去除。沒有餘數的，用"0"做檢查號碼。若有餘數則用此餘數做檢查號，若餘數是1，則11－1＝10，在這種情形下用X為檢查號碼。

國際標準書號之功用及使用範圍

圖書館庋藏之有效利用繫之於良好的分類，使每一出版品只有一排架號。物以類聚，讓每一本書有一號碼，使之便於利用。但每一圖書館所利用的分類號碼不一樣，各館對各館的使用者提供一種檢索書籍或資料的排架號，以達到書目控制的目的。而國際標準書號亦是以書目控制為目的，但以地區或語文、出版社以及每書一號，主要用來識別某書、其版本，有號碼代號來簡化發行、盤點及行銷的功能。因為每書有一號，亦達成其特殊性 (Uniqueness)的目的，所以很多圖書館亦利用此書號來做採購、流通及編製書目的工具。

國際標準書號使用的範圍，可說是相當的廣泛，包括圖書、縮影資料、公開銷售的電腦軟體、機讀資料的磁帶、點字圖書、錄音卡式形態的書籍、小

冊子、綜合性媒體資料、教育影片、錄影帶、投影
片、光磁片及地圖等非書資料；但不包括宣傳性的
海報、連續性出版品等。連續出版品則用國際標準
叢刊號來處理。

　　一九七一年時美國就有二千五百三十二個出版
社使用國際標準書號，美國現版書的目錄 (Books In
Print) 在一九七一年亦就有百分之七十的書名有國際
標準書號❺。目前已為分布在六十多個國家或地區的
二十萬家出版社採用❻。

採用國際標準書號之問題

　　廣泛地採用亦發生了一些始料未及的問題，茲
舉例說明如下：

一、同一本書由不同的出版社印行，就有不同的國
　　際標準書號，而書號之不同並不能指明其內容
　　之相同。當圖書館採購此書時，看見不同的國
　　際標準書號就以為是不同的書籍。而實際上，
　　內容相同，對圖書館經費拮据之時，書號的不
　　同，致圖書館在不明情況下購置複本，浪費經
　　費，就是號碼混淆的結果。同一內容的書，可
　　能因裝訂不同－精裝、平裝、出版地不同、封

面設計不同，而有三、四個不同的標準書號。

　　國際標準書號管理中心總部雖然有一定的規則，要求出版社遵守。但出版社未能盡予遵照辦理，致而造成不便。每一不同版本的書籍應用一獨特的國際標準書號，但若同一出版社重印同一版的書，內容亮無變更，只是價格有所改變，亦無須用新的號碼。書商經常為了便於清點或是為了生意經，任意擅給新的國標際準書號，以混淆聽聞，促銷書籍。北伊利諾大學圖書館學系系主任凱絲 (C. Kies) 博士曾指出一些例子如下❼：

㈠Williamson, J. N. 著作的 *Premonition*，於 1981 年由 Leiusure 出版社出版，國際標準書號是 0-8439-0959-5。旋因封面圖案設計不夠吸引，銷售不好；同年，重新設計封面出版，又給予一新的國際標準書號為 0-8439-2334-2。這樣原是同一本的書，竟有二個國際標準書號。因此對國際標準書號的追蹤工作變成十分棘手。

㈡出版商未將標準書號印在規定的地方 —— 書名頁之反面，也即是版權頁。有的只印在書脊或其他不顯眼的地方，致而使採購者發生困

擾。

㈢成套的圖書可能只有一個標準號碼，但也可
能整套圖書的每一單冊都有一個標準號碼。
出版商通常遵守的原則是：舉凡以推銷成套
圖書為目的，全套只給一個號碼；若要分別
推銷其中每一單行本的書籍，則往往每書有
一國際標準書號。這種分歧的處理辦法，使
圖書館的編目人員發生許多疑難。有的叢書
是繼續不斷刊行的，則以採用國際標準叢刊
號碼更為適宜。我國在短短二個月實施國際
標準書號當中，對於翻譯本及兒童讀物方面
就面臨諸多問題，如翻譯本與原文的關係，
兒童書籍有一套、有上輯下輯、也有分冊等
種種問題，殊難獲得圓滿解決，值得深入研
究。

㈣國際標準書號所包括的範圍過廣，各種不同
型態者可給予國際標準書號，尤以公開出售
的電腦軟體成品為最。據統計在一九五五年
美國電腦軟體成品所編的國際標準書號，占
了全部美國所用國際標準書號的百分之三十
九。舉凡經過修正的電腦軟體不能再獲得新

的國際標準書號，換言之，國際標準書號管理中心對書籍與電腦軟體在指定國際標準書號時有不同的規定。這種不一致的措施經常造成混亂，而影響到其為書目控制的基本功能。

解決問題之途徑

凱絲博士(Cosette Kies)提出一些可行的改善建議，希望以下列方式解決之❽：

一、規定出版商在使用國際標準書號時要詳細記錄。他建議出版商將國際標準書號及出版該書的歷史淵源都記錄在所有出版品的版權頁。這一點在我國實施時已明確規定國際標準書號的印刷位置，這是特別值得其他國家出版商採用國際標準書號效法的。

二、書目人員應利用國際標準書號列為編製書目主要的敘述項目、在說明各版本時，應註明先後各版本的國際標準書號，以便於辨別版本。

三、現行制度中考慮一些彈性的方式來處理外表或微小的變化，例如價格、開式、封面的設計等等。目前辦法中有五個數字可以備用，也許可

以調整排列的次序，以達成說明版本和重印本
的不同之處。

四、出版商及圖書館員應不斷地溝通，以便獲得對
雙方更有益而和諧的工作關係。

以上凱絲女士所提出的建議曾在泰國舉辦的國
際資訊技術研討會上獲得一致的支持。

本人綜合上述這些問題，也提出了以下四項建
議❾：

一、國際標準書號管理中心應主動與各國或各地區
之管理中心取得聯繫，討討論一些各國出版社、
圖書館界，以及地區性中心所遭遇到的問題，
逐一予以通盤研討解決並可採用其他地區性之
措施為國際性措施。例如國家圖書館之構想，
將國際標準書號、條碼(Bar Code)和CIP(出版品
上編目)同時施行，則書目控制效果更佳，亦是
可供其他地區借鏡的。

二、請國際標準書號管理中心撰編更明確之施行通
則，去其矛盾及不一致之處（如對圖書及電腦
軟體版本之不同作業），以便使用此號之人士
有所依循。

三、請國際標準書號中心建立國際標準書號之資料

庫，使用一書名之書目資料可以一查即知，對書籍版本的資訊有權威檔可查，如此更可發揮書目控制的效益。此外提供全套這一制度的電腦管理軟體系統，以便各國或各地區的主管中心在管理上可以達到一致性與權威性的嚴格要求，亦可由於軟體之相同，進而建立連線的可能性。

四、國際標準書號應用之範圍過於廣泛，包括圖書及範圍非常廣泛的非書資料。明確的處理方法是將資料的類型分別給予不同的代碼，除了給予書籍、連續性出版品國際標準書號及國際標準叢刊號以外，應研究其他系列的號碼來對其他非書資料作為書目控制的工具。

結 論

書目控制是開啓知識之門的鎖匙，使資訊有規律化而便於利用。圖書資訊界在這方面的努力很多由編目規則、分類方法、到標題及辭彙的訂定皆是。自從電腦運用到圖書及出版界來以後，國際性統一而通用於圖書、資訊、出版界的國際標準書號及國際標準叢刊號的設計，可以說是種書目控制方法上

之一大突破。任何管理方法在理論與實行上總會遇
到一些差距和應予改善之處。國際標準書號原來的
構想是國際書目控制最佳的途徑，可惜因為所容納
之圖書型態極為龐大，而規則又不夠嚴謹，使用不
當，就會發生若干困擾。特提出一些初步意見，，
提供給主管單位，予以改善，則此一書目控制的工
具當更能發揮其預期的功效。

附註

❶中華民國國際標準書碼研究小組，國際標準書號實施及
推展工作研究報告，（台北：國立中央圖書館，民國78
年）。
辜瑞蘭　國際標準期刊號碼及其資料系統的研究，（台
北：國立中央圖書館，民國68年）。
❷「國際標準書刊號」簡介，中國圖書館學會會務通訊，
第69期（民國78年7月31日）：5-7。
❸International Symposium on Information Technology: Standards
for Bibliographic Control, September 4-8, 1989, (Bangkok
Thailand: Thammasat University, 1989).
❹International ISBN Agency, *The ISBN System Users' Manual*
(Berlin: International ISBN Agency, 1986), pp.4-5.
American National Standards Institute American National

Standards for Book Numbering, ANSI:Z39.21-1980, N. Y. 1980.

❺ Emery Koltary, " International Standard Book Numbering, "*In The Bowker Annual of Library and Book Trade Information,*   (New York: Bowker, 1971), pp.107-08.

❻ 同 ❷

❼ Cosette Kies, " Some Current Problems in International Standard Book Numbers for Bibliographic Control, " Paper Presented at the International Symposium on Information Technology: Standards for Bibliographic Control, (September 5, 1989), pp. 57-71.

❽ 同 ❼

❾ Margaret C. Fung, " Discussion on the Current Problems in the International Book Numbers for Bibliographic Control, " paper presented at the International Symposuium on Information Technology, " (Bankok, Thailand, September 5, 1989).

圖書館館藏發展政策

圖書館館藏之重要性

圖書館的基本功能如徵集、整理、保存圖書，以供讀者使用。我們依賴讀者服務、技術服務、推廣服務來發揮這些功能。圖書的徵集、交換、贈送、分類、編目、流通、閱覽、典藏、參考、諮詢、巡迴圖書館、推廣服務、館際互借等活動，都是以館藏為基本基礎。所以圖書館服務的重心、起點，或圖書館服務的源頭，均是以圖書館本身的館藏為依據。換言之，圖書館一切的活動，均是取決於館藏之優劣。甚至圖書館館舍之大小，一部分亦取決於館藏，所以在圖書館的硬體上（如館舍），或軟體上、即圖書館的各項服務，包括讀者服務、技術服務、推廣服務，都是依靠館藏的健全化及適用性。

圖書館館藏發展之意義

以往圖書館技術服務中的採訪並沒有包括館藏發展，這個名詞實際上是二十年前，1970 年代開始的。以前所謂的圖書徵集，或採訪，就是把圖書以

採購、贈送、交換這三種方式徵集到館。三十年前開始使用館藏建立（Collection Building），二十年前開始使用館藏發展（Collection Development），主要是其意義遠較採訪廣泛許多，館藏發展是一個個連串的活動，如：一、分析讀者的需求。

二、瞭解目前圖書館藏書的情況。

三、評鑑現有館藏。

四、制定選擇政策。

五、決定淘汰、儲存的重點。

六、規劃館際合作的計畫。

從選書到互相支援各圖書館的資源共享都包括在館藏發展裡。雖然在1970年代就有這一個名詞，但是直至1983年才正式定義：美國圖書館學會出版的 *ALA Glossary of Library and Information Science* 列出下列定義：「館藏發展是指決定和協調選書政策，評估讀者和潛在讀者的需求，選擇資料規劃資源共享，維護館藏，和淘汰館藏的種種活動，釋之為館藏發展。」在吳明德教授「館藏發展」一書中的定義是：「館藏發展是指圖書館有計畫的，有系統的按照既定的政策來建立館藏，並且評鑑館藏，分析館藏強弱，深討讀者使用館藏情形，以確定能夠利用館內

及館外資源來滿足讀者資訊需求的一種過程。」這
個定義和 ALA 的定義大致一樣，均是一種循環而
連續的活動。但吳教授的定義裡非常重要的是含有
社區分析的觀念，以前很多人認為選擇、採訪和館
藏發展是同義詞。Edelman 認為：選擇採訪和館藏發
展有層次上的不同。館藏發展是最高一層，是屬於
規劃性的工作，第二層才是根據館藏規劃所作的選
書工作是執行方面的工作，第三才是採訪。所以館
藏發展，是包括了選擇與採訪，即選書與採訪的工
作都必須以館藏發展為根據，如此一來才能做到圖
書館的五大定律中的人人有其書，每一本書都有其
讀者，和以最少的經費買最好的讀物給多數人利用，
進而達到最高境界；希望在最適當的時間，提供最
適當的書給最適當的人使用。由於館藏發展是一個
不斷的活動，圖書館就如同一個有生命的有機體，
因為它必須不斷地研究讀者需求和評估館藏狀況。

影響圖書館館藏發展的因素

一、社區及讀者

每一個讀者有其個別的興趣，而有相同的興趣

的人組合成社區（Community 若翻譯為共同體可能更好一點），個別讀者的需求凝聚成一個社區，而為因應這個需求設立的圖書館，就是某個類型的圖書館。

二、圖書館的目的

　　即使同一類型的圖書館，其目的優先順序上可能亦不盡相同。如大學圖書館，其間目的優先順序就有所不同，這種情況在專門圖書館裡更為明顯，圖書館的目的，是影響圖書館館藏發展的因素之一。

三、經費

　　圖書館的經費一向不受機構所重視，在國家特別推動什麼計畫時，圖書館雖受重視，但泰半注重的是硬體，即圖書館的設備，如桌、椅、房子等，至於藏書方面卻不那麼被重視，經費通常是不夠的，因為，他們多半不瞭解館藏發展對圖書館所能提供的服務有多重要，沒有豐富的館藏，就無法提供適當的服務，目前教育經費增多，但撥到各系的圖書設備費，系上不見得會購置圖書，即使購置的圖書亦不願放在圖書館供所有師生使用，若能統籌運用、

分配、規劃購書經費，就較能符合經濟效益，避免浪費，也能符合讀者需求，但是目前經濟的環境，似乎未能做到專款專用。國外有類似的法律支援圖書館，國內卻沒有。事實上，六年國建計畫是一個相當好的機會，但只有二個國立圖書館有這樣的機會。沒有作整體的規劃，可見圖書館並未受到重視，令人覺得遺憾，在這方面圖書館是輸家。

四、學術環境的影響

　　研究方法、方向都會對學術環境產生影響，如環保、經濟研究都會影響館藏之發展，尤其，對大學圖書館，和專門圖書影響更是直接，母體機構的發展方向，對其所屬圖書館藏發展有著直接且深遠的影響。

五、社會風氣的導向

　　本國閱讀風氣並盛行，娛樂的工具、場合如MTV、KTV相當多，有些社區內有很多讀書會的成立，也有公共圖書館所發起的讀書會，社會風氣也影響了圖書館規劃館藏的方向。

六、出版界的影響

　　每年出版圖書的量，也影響了圖書館，1980年圖書出版量為 4,565 種， 1990 出版量為 2,433 種，這是中華民國出版年鑑所記載的，可見這十年來所呈現的圖書出版是 46.7 % 的負成長，在國外也是同樣的趨勢， 1982 年 *Publishers' Weekly* 統計， 1980 年美國出版的書是 42,377 種，到了 1990 是 38,884 種，成長率為負 8.2 %，雜誌方面卻完全相反。國內由於勘亂條例修改開放報社出版事業，所以各項報章、雜誌蓬勃發展。美國方面， 1983 年 *Library Journal* 記載 1980 年全年期刊出版量為 3,358 種，成長率相當驚人。相對的，90 年代購書時，可選擇的就少，期刊則反之。但期刊本身變動大，訂購經費也大，對於採訪人員就是很大的挑戰。所以出版界也影響了圖書館的館藏發展。

館藏發展政策之意義與效益

　　館藏發展政策說明了館藏的目的、選擇和淘汰的原則，圖書的深度和廣度，以及庋藏的主題、型態和選書的工具為何，這是館藏發展書面的原則指導和說明，如同工作手冊。最高的指導綱領，也是

內外溝通的文件，對內：館內人員藉之瞭解圖書館整體發展的原則，對外：和其他館亦借此溝通。這份文件也是公共關係的溝通媒介，要普遍發給每一個人，讀者也能了解圖書館的發展。我們可以歸納館藏發展政策的效益如下：

一、使圖書館主管單位和館員人仔細思考圖書館作業的目的。

二、在文件上可標明讀者長期和短期的需求，以及其重要性和優先順序，讓讀者了解。並分析社區讀者，以及潛在讀者的需求。

三、讓行政人員、主管單位、館員和其他圖書館了解本館館藏的性質和範圍，可彼此溝通。在同一地區，同性質或不同性質的圖書館間可互相協調各館的館藏發展。

四、顯現圖書館在選擇，除架的標準，使館員、讀者或教授在選書時有一依據，避免有個人偏見、喜好，影響了圖書館所提供的服務。

五、訓練新進人員最好的書面資料。一個好的館藏發展政策，就如同地圖般可以指引新進人員熟悉所在環境，所負責業務，若圖書館主管換人，一切作業仍可如往常一般運作，不致因人廢事。

六、提供館員自我評鑑的工具。

七、提高圖書館的公信力。

八、增進內部工作的效率。

　　避免從業人員的爭端，作業只需按既定政策即可。在發展館藏政策時可參考 *Guidelines for the Formulation of Collection Development Policies*。

館藏發展政策內涵

　　館藏發展政策需包括些什麼？今以國家圖書館館藏發展政策為例，這是相當好的實例，我們一起來看看這個實例：

一、工作目標與任務

　　國家圖書館的書面資料並沒有再次說明其類型，但其名稱已清楚標示其目標與任務，而這是所有工作的最高指導原則。

二、說明社區環境

　　在我國國家圖書館的資料裡並沒有包括這項，但在一般圖書館均需包括此項，以說明社區結構、人口、環境、發展趨勢，及未來的潛在讀者。

三、館藏學科的範圍

　　每一個圖書館除了以標題標明學科範圍外，還可以數字表示所收學科範圍的深度，可參考吳明德教授所著館藏發展一書、我國家圖書館館藏發展政策裡，將深度分成五級。國外有許多種標示法，或以字母表示，但若國內圖書館都能採國家圖書館的分法及標示法，也方便各館之合作與聯繫。

四、列明所使用的工具書

　　使圖書館選書工作有所依據，大半圖書館都以國家圖書館的出版圖書目錄為依據，目前國內幾家報紙都有定期刊載新書訊息，但均非批評性，盼圖書館能多交流，以充實這些新書訊息。

五、淘汰原則

　　以年代或破損程度來淘汰須界定清楚，而淘汰標準須經館藏評鑑後才能制定，館藏評鑑有量的評鑑，也有質的評鑑，如書目核對法，引用文獻法、專家評鑑法、流通分析等等，詳見吳著館藏發展。

六、合作採訪範圍的界定

　　依據各館的館藏規劃，可瞭解各館核心館藏之
所在，可訂定那些資料是合作採訪、交換、互借的
範圍，以有限經費充實無限之資源，每一步驟、流
程，均須詳細說明。

館藏發展政策訂定要點

　　館藏發展政策是一個不斷的活動，所以約每三
年就須修訂一次。再整體性地敘述一次，訂定館藏
發展政策要注意的要點：
　　一、規劃性
　　二、公開性
　　三、原則性
　　四、宣傳性
　　五、適應性
　　六、客觀性
　　七、系統性
　　在楊美華教授的著作「大學圖書館的經營理念」
亦有論及，總而言之，這是一種內部工作的準備，
對外溝通的文件，且必是獲得上級單位支持的。一
般在制訂政策時有很多種方式，有一人負責草擬，

也有採訪組負責、再提出由大家討論，或以委員會型式召開。不管是用何型式草擬，都必須有使用者、讀者表達意見的機會。可以印製很多份在圖書館陳列，讓有意見的人可以表達，或召開公聽會，或者以訪問、問卷調查來瞭解讀者對此發展政策的反應，最後這份文件，必須有圖書館館長的支持、簽署，才是一份正式文件。

參考資料

吳明德著，館藏發展，(台北市：漢美圖書公司，民國80年)。

Guidelines for the Formulation of Collection Development Policies, (Chicago: ALA, 1989).

顧敏著，圖書館採訪學，(台北：台灣學生書局，民國68年)。

楊美華著，大學圖書館之經營理念，(台北：台灣學生書局，民國78年)。

Curley, Arthur and Broderick, Dorathy, *Building Library Collections,* (Mutchen, N. J.: Scrarecrow, 1985).

本文曾刊於＜中國圖書館學會會務通訊＞第84期（民國81年9

月）：3～5。

現代圖書館設備對館舍規劃之影響

前言

　　圖書館肩負保存人類經驗紀錄、知識文化及傳播知識與資訊的使命。圖書館管理的良窳是發揮其功能的關鍵所在。而管理涉及規劃、組織、任用、指導與控制。其中以「規劃」為管理程序的第一要務，規劃就是決定要做何事(What)、何時去做(When)、如何做法(How)以及誰去做(Who)。經過合理的程序來進行，認清目標、衡量當前的情況、預測未來、擬訂方案謂之規劃❶。

　　一九七〇年代開始，圖書館的服務內容擴大，項目增多，館藏資料型態增加眾多之媒體，新科技產品，如電腦設備應用到圖書館來，更促使圖書館員要重新接受繼續訓練等等❷。這些新科技的引進造成了很多衝擊，這些衝擊促使圖書館邁向新時代經營管理的途徑而採用「規劃」的方式❸。圖書館一向以設備與傢具密集場所自許❹，傢具與設備的妥善規劃與利用是促使圖書館發揮功能、提供有效服務、達到任務完成使命的首要因素之一。

　　本文首先界定現代圖書館設備所指運用新科技

產品之設備為何？現代圖書館館舍受科技成品影響
為何？以及規劃過程中應注意之事項。

應用到圖書館方面的新科技

　　現代圖書館的設備一定要利用新科技產品如：
一、電腦設備(亦稱圖書館自動化設備)，二、電動
或機械化的密集書庫，三、傳真設備，四、光碟及
錄影設備，都是現代圖書館必備的設備❺。但這些新
式科技產品並不致完全取代傳統性的圖書及服務，
大都是增加圖書服務項目、增進效率而已。例如如
今的線上檢索並沒有取代圖書館所藏的索引，並沒
有使圖書館停止訂閱以文字型態出現的索引及摘要。

　　科技進步神速，他們的產品實在不易預估。很
難去預估出這些新科技產品的形與量。但這些產品
運用到圖書館來會對館舍的設計有重大的影響，涉
及館舍的結構與空間的調配、電源、網路通訊設備、
傢具、安全、燈光及空氣調節等等規劃問題。新的
電腦設備需要特別環境及安全措施，傢具要顧及人
體工學式的設計特別強調彈性(Flexibility)及適應性
(Adjustability)。James Michaels指出在配合新科技設備，
規劃場地時必須要注意到兩個準則：㈠現有的系統，

㈡未來的擴充量❻。

現代圖書館的建築原則

　　一般圖書館建築都要注意的事項大致可以歸納到下面幾個原則：一、便捷性；二、組織性；三、親近性；四、適應性；五、融通性；六、舒適性；七、經濟性；八、安全性。茲就這些原則，把現代圖書館引進科技產品後應注意事項說明如下：

一、便捷性：圖書館必須針對讀者、工作人員和圖書資料等不同性質的活動分別設置出入口，並注意殘障人員所用的道路，明確劃分以上三者之動線。在這些新的科技設備成為圖書館的重要部分後，我們必須要考慮到搬運機具出入口的大小及使用這些設備的動線問題。

二、組織性：各組相同功能的設施如步行的樓梯、洗手間、飲水器、公用電話應予集中。在引進這些新科技產品後，線上公用目錄、檢索站、影印設備、電腦輔助指標亦應予以一致地安排，每層樓都放在相同的位置，便予使用。

三、親近性：圖書館以設置在中心地帶為宜。新的
　　　　　科技產品常會帶給讀者畏懼感，不太
　　　　　敢使用這些設備，圖書館在裝置這些
　　　　　設備時，要考慮到使用人與指導人員
　　　　　配合之地區，讓使用這些設備的人可
　　　　　以很安心地在圖書館員指導下使用。

四、適應性：館舍必須要考慮到利用新科技產品時
　　　　　之電源與通訊網路問題，地下預留十
　　　　　八英吋深度的空間，備埋管道用；天
　　　　　花板上面亦應預留四英尺的空間以便
　　　　　安裝冷氣、水電、通風及防火設備的
　　　　　管道❼。

五、融通性：圖書館一向都應採模距型，考慮一個
　　　　　整體大間的設計，儘量不用固定的隔
　　　　　間，以便彈性運用。新科技產品的引
　　　　　進，促使我們在照明及地板電線出口
　　　　　方面都應採模距式規劃，便於彈性利
　　　　　用。在考慮裝置空間時至少必須要有
　　　　　多年擴充的空間。在大型學術圖書館
　　　　　線上公共目錄會不斷增加，也許會增
　　　　　置中央處理機(CPU)，電訊設備也可能

增加，故而在場地上必須要做成長遠
的預估。尤其在考慮圖書館電腦室所
需的空間請注意三大部分：㈠電腦本
身、電腦及週邊設備，㈡文具及物件
儲存空間，㈢工作人員之空間❽。

六、舒適性：以往供讀者或工作人員所用的場地及
設備都有一定的標準，裝置新型科技
產品時更應考慮到這種問題。檢索用
之桌椅與一般閱覽的座位，因為有螢
幕和鍵盤以致高度和尺寸有所不同，
須要根據人體工學來設計，也須要與
傳統的閱覽設備相互配合。例如：傳
統上個人閱覽座位的標準尺寸為24英
吋 (深) × 36 英吋 (寬)，為了要讓讀者
可以利用膝上型、輕便型電腦(lap top)，
現在的個人卡座要改為30吋 × 24吋或
48吋的尺吋，才能因應需要❾。

圖書館一向注意噪音問題，機具難免
會引起噪音，故而隔音材料、吸音設
備、地毯之裝置為必要的。

七、經濟性：南北向是圖書館建築取向的原則，新

型科技設備都依靠電力，應注意圖書
館的方位，使之不受東西曬之威脅，
並注意外牆及天花板隔熱設備，以節
省能源為目標。

八、安全性：防震、防水、防火、防竊、防風沙、
防蟲都是一般圖書館要注意的事項，
但是新科技成品更怕地震、水、火、
風沙。故而圖書館空氣的溫度與濕度
及通風設備更要額加注意。人們通常
認為百分之四十到六十之濕度對人體
來說很舒適，而對電腦設備而言，濕
度應為百分之四十五至五十五之間，
溫度應保持在攝氏二十至二十六度(視
各型電腦之需求與散熱能力而略作調
整)。一般圖書館應儘量用自然光，利
用錄影設備之燭光應在二十五支燭光，
較一般辦公室暗一倍才不會造成眩光。
電腦室應用三十五支燭光❿，應有獨立
之電力系統，電源設備必須符合電腦
使用規定，且加裝穩壓器及不斷電系
統(UPS)。電源裝置必須有 20KV 之頁

載能力(包括預留百分之三十)。緊急
電源開關應位於入口處。以海龍(Halon
1211)或二氧化碳作為滅火的材料較為
理想。雖然圖書館的自動化是值得炫
耀之事,但切忌不要把它陳列為現代
化的裝飾,而必須重視它的安全性。
新科技產品之重量較重,均要求館舍
得特別重視地面重量問題。為求安全,
凡有密集書庫處載重量以950公斤/每
一平方公尺為妥。

結 語

為了要利用新科技產品來處理圖書館事務或提
供服務,館舍規劃上的確要作適當的配合。茲應市
立圖書館之邀,簡單歸納幾位專家意見,以及為規
劃國立暨南大學圖書館討論時所獲得的心得,提供
給同道參考。特別提醒設計館舍時要注意以下幾點:
一、彈性的場地,二、電力、電路與省電法,三、
空調及通風設備,四、噪音,五、照明度,六、載
重量,七、天花板高度及門框尺寸,八、安全措施
(包括防火、防震、防風沙等等)⓫。并建議參閱以下

有助於規劃現代圖書館設備與館舍的文獻：

一、Michaels, David Leroy, ed., "Technology's Impact on Interior Planning," *Library Hi-Tech*, 5(4) (Winter 1987): 59-63。

二、Pennybacker, Ed., "Designing Facilities for a High - Tech Future: The OCLC Online Computer Library Center, Inc. Headquarters —— A Case Study," *Library Hi-Tech*, 5(11) (Winter 1987):41-48。

三、Drabenstott, Jon, ed., "Designing Library Facilities for a High-Tech Future," *Library-Hi-Tech*, 5(4) (Winter 1986): 103-111。

四、Kaser, David, " Current Issures in Building Planning ," *College and Research Libraries*, 50(3) (May 1989): 297-304。

五、Boss, Richard W. ed, *Information Technologies and Space Planning for libraries and Information Centers*, (Boston: G. K. Hall, 1987)。

附 註

❶Robert D. Stuart and John Taylor Eastlick, *Library Management*, 2nd ed. (Littleton, Colorado: Libraries Unlimited, 1981) p.32

❷ Donald E. Riggs, *Strategic Planning for Library Managers*, (Phoenix, Ariz: Oryx Press, 1984), pp.3-4.

❸ 盧秀菊著，圖書館規劃之研究，（台北：台灣學生書局，民國 77 年）頁 12。

❹ Aaron Cohen and Elaine Cohen, *Designing and Space Planning for Libraries*, (N. Y. Bowker, 1979), Preface.

❺ Richard W. Boss, *Information Technologies and Space Planning for Libraries and Information Centers*, (Boston: G. K. Hall, 1987), p. 5.

❻ James Michaels, "Planning Ahead Staying Involved, *Library Hi-Tech*, 5(4) (Winter 1987): 105.

❼ Ed. Pennybacker, "Designing Facillities for a High-Tech Future: The OCLC Online Computer Library Center, Inc. Headquarters — A Case Study," *Library Hi - Tech* 5(4) (Winter 1987): 43.

❽ Rick Richmond, "Computer Fcilities and Distributed Peripherals", *Library Hi-Tech* 5(4) (Winter 1987): 106.

❾ David Lerov Michaels, "Technology's Impact on Library Interior Planning", *Library Hi-Tech 5(4)* (Winter 1987): 62.

❿ Ed. Pennyback, 同 ❼ 。

⓫ 同上註 47 ~ 48。

本文曾刊於＜台北市立圖書館館訊＞，第 10 卷第 2 期（民國 81 年 12 月）：1 ~ 4。

國家建設與圖書、資訊、博物館 專業人才之培育

前言

在台灣地區缺乏自然資源的條件下，能夠獲得「台灣經驗」和「台灣奇蹟」的美譽，主要原因是在於我國具有知能優異的人力資源❶。我國教育普及、多元而完善的職技訓練，以及知能優異的國民，使四十年來我國的經濟成長和國家建設令人刮目相看❷。近年來民主政治之推行更是國家建設的主要推動力。國家不斷地在成長，也不斷地在建設。一切的建設需要資訊的收集、分析與整理，據之切實規劃❸，分階段執行。除了在政策規劃上需要人才，尤其重要的是要有充份稱職的人才來執行計劃，才不致於發生建設計劃流於形式的可能。

國家建設的層面與性質

國家建設涉及的層面很廣，但每一個國家的建設重點和發展方向都與該國的國情和特色有密切的關係。建設的性質有有形的硬體建設和無形的軟體

建設。兩者必須相互配合，始有成效。缺其一即會
有困擾和績效不彰的情況。舉一個例來說明，我們
規劃義務教育，把六年國民義務教育延伸到九年，
這是屬於軟體的建設。但為了執行這個計劃，我們
需要國中教師和行政人員，積極培育這類師資是軟
體的建設。但配合九年國教的執行，我們需要增建
教室與設備這些硬體建設。國家建設應將物質面與
精神面予以適當地配合❹。這種環環相扣的問題甚值
我們在規劃建設過程中要慎思遠慮的。

　　民國六十三年蔣經國先生在行政院院長任內完
成十項建設。緊接著在六十七年以十二項國家建設
繼之，都有顯著的成效，使我國邁入開發中國家之
列。民國八十年開始的六年國家建設計劃，將以重
建經濟社會秩序與謀求全面均衡發展為目標，並達
成提高國民所得、厚植產業發展、均衡區域發展、
提升生活品質的理想❺。六年計劃兼重硬軟體建設之
議，確是值得肯定。

六年國建的特色

　　國家建設六年計劃緒言中指出，我國經濟失衡、
社會脫序問題之發生，主要是軟、硬體的公共建設

投資相對不足，尤其是交通運輸、文化、教育等建議未能與經濟發展齊頭並進所致❻。整個計劃都顯示出，今後之建設是以軟、硬體建設兼重為導向。

回顧自民國六十七年開始，經國先生號召，積極推動文化建設，決定在每一縣市建立文化中心，包括圖書館、博物館和音樂廳。雖然因為十二項文化建設的提倡，每一個縣市都有文化中心的設置，而公共圖書館的數字、藏書量、服務人員、購書經費均嫌過少，尤其是缺乏專業圖書館人力的情形非常嚴重。由以下的數據可明顯的看出；到民國七十九年底為止，全國各級公共圖書館計有三二九所，平均每十萬人有一‧五個圖書館。公共圖書館的藏書量只有六六四萬冊，平均每一位國民有〇‧三三冊圖書，公共圖書館工作人員只有一千六百九十六位，每個工作人員要為一一、八〇〇位讀者提供圖書服務，每人平均有四‧三元之購書費❼。根據台灣地區的調查，在二十五所圖書館中，以澎湖縣立文化中心中正圖書館館員服務人口數最少，每位館員服務一〇、七〇二位讀者，台北市立圖書館次之，每位館員服務一一、一六八位讀者。而以省立台中圖書館最高，每位館員服務一七六、一六〇位讀者，

台北縣立圖書館次高，每位館員服務讀者數為一五
六、三二七人。一般言之，絕大多數的圖書館館員
服務人口數均超過二○、○○○人，有六所圖書館
超過一○○、○○○人❽，由此顯示出目前各圖書館
之館員顯著不足。也可以說台灣每縣市都有文化中
心圖書館的建築物，但缺乏服務人員和可利用的圖
書。而六年國建計劃則同樣重視硬軟體同時的發展。
六年國建計劃中強調培育與運用人力資源，有強化
人力的計劃。如在中華民國八十一年國家建設計劃
第四篇❾：科教文與人力發展項下就把培育文化建設
人才列為發展重點。

國建六年與圖書資訊及博物館事業

　　國建六年計劃第四冊提升國民生活品質方面，
特別在第五章充實文化、教育、藝術、體育設施項
下列出幾項具體的計劃如❿：

　─鄉鄉有圖書館，加強與促進各級公共圖書館
　　的發展計畫，包括硬體與軟體設施的改善。

　─各文化中心建立地方特色的文物館，加強地
　　方文物的蒐集典藏。

－設立現代化文學資料館，並在北、中、南、東各區域設立文藝之家。

－輔導縣市文化中心加強巡迴推廣工作，在社區開闢分站或辦理巡迴展演活動。

－推展美化生活空間計畫，以車站、醫院、郵局、學校、圖書館、機關等辦公場所為示範對象，增進公共場所為示範對象，增進公共場所的藝術氣氛。

－籌設中國文化園區，展現中國文化歷史之變遷及地域特色。

－各縣市文化中心根據其地方文化特色，設置具有特色之文物館；辦理藝術季，引導國民參與正當文化育樂活動。

－增設地區性小型博物館、文物館與美術館，並獎勵私人企業開辦美術館。

－培育古蹟、古物維修及管理人才，並設置文化資產研究中心，從事研究維護及輔導工作。

—蒐集、整理地方文獻，進行口述歷史編撰，並對各地區之紀念性建築與古蹟，予以錄影建檔保存。輔導縣市文化中心與社教館，辦理生活文化研習活動，指導民眾傳統生活藝術。

—擴建國立故宮博物院，並研討在南部設立分院，及有條件在國外展示故宮文物的可行性。

在中華民國八十一年國家建設計劃中，配合縣市地方特色，完成縣市文化中心第二階段擴展方案，落實基層文化建設，均衡地區發展，並把台北縣文化中心陶瓷博物館、苗栗縣文化中心木雕藝術博物館、新竹縣、新竹市、嘉義縣、嘉義市文化中心列為擴展重點，並擬辦理為文化中心之博物館基礎班、專題班及推廣組及一般研習會⓫。在中華民國八十一年國家建設計畫中「教育」這一章中，推展社會教育項下，有籌設國立科學工藝博物館、自然科學博物館、台灣史前文化博物館、海洋科技博物館及海洋生物博物館等社會教育機構⓬。對人力的需求方面亦有下列的原則性的決定：因應服務業對人力之需

求、調整系所及招生人數，並提升教學品質。

　　國建六年計劃中有具體的方案來擴展文化中心，增建博物館，亦有設班訓練專業人才以及調整系所及招生人數的計劃，以因應服務業對人力的需求。開一、二班繼續教育的課程，是無法因應計劃中多項的發展重點。確應從根本的教育體系上著手才是治本之道，尤其在硬體建設完成後，軟體建設的配合殊令人擔心。

如何發展人力以配合國建計劃

　　國建計劃常有時限，例如國建六年計劃是指民國八十年至八十五年，而實際上，其效益並不能限制在這六年之間。執行是連續不斷的，其效果都是在期滿以後才會呈現出來。

　　根據社教機構現職人員進修意願與進修需求調查研究的報導：社教機構中反應現有人力無法同業務需要者相當多，達百分之八十七，其中以藝術、美術、博物館類的反應比率高達百分之百，其次為鄉鎮圖書館及社教館，各佔百分之八十一及百分之七十五。在職人員很明顯地表示他們需要外國語文、法律常識、通識教育及國際現勢的知識，也需要

「圖書分類編目、選擇採訪」、「民俗文物分類調查採集與建檔方式」、「展覽與展示的策劃」、「藝術鑑賞」、「視聽媒體製作」、「陳列方法與拷貝的運作」等專業課程❸。

　　從以上的摘錄，分析起來可以了解，國建六年計劃在圖書資訊博物館方面需要大量的專業人才是：㈠為新設的博物館；㈡為彌補原來十二項文化建設所設文化中心人員之不足；㈢為因應六年計劃所列出有關加強與促進各級公共圖書館的發展計劃；㈣為充實縣市文化中心設立現代化文學資料館，執行文化建設方案，增進人文素養，推動藝文發展等各工作所須的專業人才。

　　以往博物館派員到外國參觀觀摩，國立故宮博物院曾辦理過導覽解說人員訓練班，行政院文化建設委員會也舉辦過博物館基礎班及專業班，並決定繼續辦理❹。原中央圖書館台灣分館所擬加強公共圖書館建設六年計劃中，有擴增國立中央圖書館台灣分館國內外及特殊人才之延聘，在職人員之進修培訓及延聘專業人員、補助基層圖書館延聘專業人員（參照國科會客座教授講學聘任辦法）等辦法。

　　目前國內系、所培育出之圖書資訊管理人員，

大部份是沒有專門學科背景者，系招收的是高中畢業生，研究所招收的大都是圖書館系與其相關畢業生，博物館學則只有一、二個學校提供一、二門相關的課程。國建六年計劃中雖提及人才的培育，並沒有詳細地規劃，文化建設的人才只以短期訓練考察方式進行，都是治標之法，甚難臻效。專業人才不是浮淺的技術，是需要有理論的基礎，加以實務的技能訓練。所以培育圖書資訊博物館人才是需要吸收具備各種專門學科背景的人，如專攻人類學、海洋學、物理學、歷史學、藝術史等人員到研究所來給予有關圖書資訊及博物館管理與服務的專業技能教育。國家建設六年計劃倡議調整所系及招收人數以因應為服務業所需之專業人才，依照此原則，為了要落實國家的文化建設，急須設立一所科際的專業研究所，招收已有學科基礎、受過通才教育及語言訓練之大學畢業生，給予統整之圖書資訊、博物館專業教育。教授中外文圖書資訊、博物館科學管理之高深理論與實務，培育各專門學科圖書館及博物館如：音樂圖書館、化學圖書館、醫學圖書館、藝術圖書館、科學工藝博物館、自然科學博物館、史前文化博物館、海洋科技博物館及海洋生物博物

館之師資、高級行政及管理人才。政大已有設置類似研究所的計劃，的確是掌握教育重點具有遠見之計劃，企盼早日付諸實施，以培育專業人才因應國家建設之需要。

附註

❶ 孫震，「台灣人力發展的回顧與檢討」，經濟前瞻，第5卷第4期（民國79年10月）：3～10。

❷ 李國鼎，"The Development of Human Resources," 自由中國之工業，第75卷3期（民國80年3月）：3～10。

❸ Dobrica Savic, "Information and Documentation Services as a Tool for Improving National Development Planning," *International Library Review* 23（September, 1991)：215～227。

❹ 「文化建設新契機」，中央月刊，第23卷12期（民國79年12月）：6～19。

❺ 行政院經濟建設委員會，「緒言：重建社會秩序謀求全面平衡發展」，國家建設六年計劃，第一冊，總體經濟發展目標，（民國80年1月）。

❻ 同上註。

❼ 國立中央圖書館台灣分館，加強公共圖書館建設六年計劃（草案），（民國81年元月20日），頁1～2。

❽ 「台灣地區省（市）、縣（市）立圖書館及文化中心圖書館發展現況」，台北市立圖書館館訊，第7卷4期

（民國 79 年 6 月 15 日）：87～88。

❾行政院經濟建設委員會，中華民國八十一年國家建設計劃，（民國 80 年 12 月），頁 61～79。

❿行政院經濟建設委員會，國家建設六年計劃，第四冊，提昇國民生活品質，（台北：該會，民國 80 年），頁 357～369。

⓫同上註。

⓬同❾。

⓭國立台灣師範大學社會教育研究所，社教機構現職人員進修意願與進修需求調查研究，（民國 78 年 3 月），頁 73。

⓮林政弘、張沛華，我國博物館經營管理之探討，（台北：教育部印行，民國 79 年 4 月）。

本文曾刊於＜國立政治大學圖書資訊通訊＞，第 1 期（民國 81 年 5 月）：1～4。

資訊服務教育之整合

前言

　　圖書資料、檔案資料及文物之收集、分析、整理與使之便於使用，雖分別隸屬於圖書館（資訊中心）、檔案館和博物館這三類不同機構的功能，但三者的目的都是在保存、整理、分析傳遞人類知識或經驗的記錄，使之便於使用。因此，這三類機構都屬於資訊服務業的範疇。在管理方法方面，三者雖然不同，但在基本理念、利用科技產品、促進效率以及運用行政學和行銷學的原理來進行有效的行政與宣導工作方面的確有其共同性與相關性。

　　本世紀資訊爆發到氾濫的程度，一方面值得慶幸，有那麼多人類的知識、經驗和記錄可以使用；另一方面，也給予資訊服務業無比的壓力。如何有效地收集、分析、整理資訊，使之便於使用則是資訊服務業所面臨的挑戰。人們常常對科技產品發生迷信的幻覺，以為有了新科技，就可以不費吹灰之力，完善地處理及提供資訊。實際上，資訊服務界不但必須要切實瞭解它們所提供服務內容的實質，更要完全掌握資訊科技知能。綜合這兩種的知能，

才可增加資訊管理的一致性與正確性，提昇效率，進而可提供符合使用人需要的資訊服務。一方面要充份掌握資訊科技，一方面要瞭解資訊服務內容的實質，另一方面亦要在資訊管理方面有新的認知。也就是說資訊服務要符合對實質的瞭解、人性化的原則，以及科技化與整合化的要領。目前「多媒體」的出現就顯示出這種導向，尤其在資訊高速公司積極開創以來，資訊的傳遞和利用，更顯示出資訊服務整合的必要性，亦就是說將資訊科技的知能融匯在各種資訊之中，資訊服務相關性的理論與實務加以整合。

一九九五年秋天美國資訊科學學會會訊中，Thomas Galvin 教授也針對這種資訊服務業教育"合"與"分"(convergence or divergence)的問題提出一篇論文及調查問卷，並打算在一九九五年十月份美國資訊科學學會年會中組織研討會，加以深入研究，他特別強調的是資訊服務人員是應該具有各類學術領域的教育背景，也呼籲對資訊服務教育整合性的重視❶。

談「整合」相當容易，但若要切實實行，所費的心力會相當可觀。最根本的辦法仍舊應由人力資源的培養做起。國立政治大學有鑑於此，特別申請

設置圖書資訊、博物館學及檔案學的研究所，以整合性教育來因應社會需求，培養科際整合，能結合文化與科技的服務及研究人才。目前政治大學已獲准成立此有整合性的研究所，特將其設置的背景、理由、及課程的安排分述於后，藉之就教於同道，作為規劃的參考。

我國國家建設中有關資訊服務之計劃

政府自十二項建設中所含的文化建設計畫實施後，各縣市文化中心建立圖書館和博物館，推行一鄉鎮一圖書館的政策。國建六年計劃第四冊提昇國民生活品質方面，特別在第五章充實文化、教育、藝術、體育設施項下更具體列出下列計劃❷：

— 鄉鄉有圖書館，加強與促進各級公共圖書館的發展計畫，包括硬體與軟體設施的改善。
— 各文化中心建立地方特色的文物館。
— 加強地方文物的蒐集典藏。
— 設立現代化文學資料館，並在北、中、南、東各區域設立文藝之家。
— 輔導縣市文化中心加強巡迴推廣工作，在社區開

關分站或辦理巡迴展演活動。

— 推展美化生活空間計畫，以車站、醫院、郵局、
學校、圖書館、機關等辦公場所為示範對象，增
進公共場所的藝術氣氛。

— 籌設中國文化園區，展現中國文化歷史之變遷及
地域特色。

— 各縣市文化中心根據其地方文化特色，設置具有
特色之文物館；辦理藝術季引導國民參與正當文
化育樂活動。

— 增設地區性小型博物館、文物館與美術館，並獎
勵私人企業開辦美術館。

— 培育古蹟、古物維修及管理人才，並設置文化資
產研究中心，從事研究維護及輔導工作。

— 蒐集、整理地方文獻，進行口述歷史編撰，並對
各地區之紀念性建築與古蹟，予以錄影建檔保存。

— 輔導縣市文化中心與社教館，辦理生活文化研習
活動，指導民眾傳統生活藝術。

— 擴建國立故宮博物院，並研討在南部設立分院，
及有條件在國外展示故宮文物的可行性。

　　而在中華民國八十一年國家建設計劃中，為配
合縣市地方特色，完成縣市文化中心第二階段擴展

方案，落實基層文化建設，均衡地發展，並把台北縣文化中心陶瓷博物館、苗栗縣文化中心木雕藝術博物館、新竹縣、新竹市、嘉義縣、嘉義市文化中心列為擴展重點。這些計劃使圖書館和博物館事業的推廣受到了重視，因此也迫切地需要適當的工作人員。

我國資訊服務業人才之供求

一、圖書館人才的需求與供給

就圖書館人才需求而言，八十一年全國圖書館暨資料單位名錄顯示，台閩地區共有三、三二九所圖書館（不含分館），包括一所國家圖書館、三四四所公共圖書館、一四一所大專院校圖書館、三四二所高中高職圖書館、五五三所國民中學圖書館、一、五〇八所國民小學圖書館及四四〇所專門圖書館❸。至民國七十九年底為止，全國各級公共圖書館計有三二九所，平均每十萬人有一‧五個圖書館。公共圖書館的藏書量只有六六四萬冊，平均每一位國民有〇‧三三冊圖書，公共圖書館工作人員只有一

千六百九十六位，每個工作人員要為一一、八〇〇為讀者提供圖書服務，每人平均有四‧三元之購書費❹。根據台灣地區的調查，在二十五所圖書館中，以澎湖縣立文化中心中正圖書館員服務人口數最少，每位館員服務一〇、七〇二位讀者，台北市立圖書館次之，每位館員服務一一、一六八位讀者。而以省立台中圖書館最高，每位館員服務一七六、一六〇位讀者，台北縣立圖書館次高，每位館員服務讀者數為一五六、三二七人。一般言之，絕大多數的圖書館員服務人口數均超過二〇、〇〇〇人，有六所圖書館超過一〇〇、〇〇〇人❺，由此顯示出目前各圖書館館員顯著不足的情形。原國立中央圖書館在修訂其組織規程時就指出，共需要一六五位專業人員，還需要很多特殊知能的人員，原國立中央圖書館台灣分館亦已獨立改為國立台灣圖書館，需要大量的專業人才。省立台中圖書館和十九所縣立文化中心圖書館也都需要學有專業人員。在專門圖書館方面，各學術機關、工、商、企業公司行號都紛紛成立專門圖書館。例如國立科學工藝博物館要增設

科技圖書館、兩廳院亦設置表演藝術館,即將成立之國立漢學研究中心亦有意設立漢學資料圖書館,藝術資料中心之籌設也需要大量的圖書館員。已經成立的三〇一所鄉鎮圖書館對專業人員的需求自不能忽視。

自從政府遷台後,圖書館事業及教育都得以穩健地發展,目前有四所大學—台大、師大、輔大和淡大開設了圖書館系,台大、師大及淡大設有研究所,世新亦成立圖書資訊學系。人力資源是供不應求,究其原因大約有三:

㈠圖書館學系大學部所招收的學生缺乏學科背景,顯然無法滿足部分專門圖書館的需要。

㈡圖書館學系畢業的學生獲得良好的資訊技術及傳播能力訓練,常被其他的資訊服務業,如電腦軟體公司或傳播界所吸收。加之,獲得高普考及格有公務員資格者不夠多,報缺的單位亦少,這種惡性循環的情況,使文化中心的圖書館以及其他類型的圖書館都有求才困難的窘境。

㈢自民國五十年代台大開設圖書館學系到目前為止,各校共培養了五千多人,平均每年三

〇〇人左右。但自民國四十八年國家考試設置圖書館類科以來，到民國八十三年止錄取高普考及格公務員資格之總數只有九七四人❻。具有公務員資格者比例太少，無法滿足公立機關圖書館的需求。

二、博物館人才之需求與供給

　　近年來公私立博物館亦發展得相當快速，全國共有九十所博物館，有十八所附設在文化中心裡面，有十三所是獨立的，亦有附設在圖書機構內的，例如國立台灣圖書館民俗器物室。未來十年內，國立科學工藝博物館、海洋科技博物館、海洋生物博物館及台灣史前史文化博物館等具有相當規模的現代化博物館亦都將陸續設立。博物館從業人員大部分是行政職系的公務員，具有博物館專業教育背景的人員所佔的比例很少。博物館學的課程，在大專院校方面只有師大和文化大學開設為選修課，故宮也常開班訓練，但沒有正式的教育機構認真地負起造就人才的責任，所以有「供需失調」的現象。

　　根據社教機構現職人員進修意願與進修需求調查研究的報導：社教機構中反應現有人力無法同業務需要者相當多，達百分之八十七，其中以藝術、美術、博物館類的反應比率高達百分之百，其次為鄉鎮圖書館及社教館，各佔百分之八十一及百分之七十五。在職人員很明顯地表示它們需要外國語文、法律常識、通識教育及國際現勢的知識，也需要「圖書分類編目、選擇採訪」、「民俗文物分類調查採集與建檔方式」、「展覽與展示的策劃」、「藝術鑑賞」、「視聽媒體製作」、「陳列方法與拷貝的運作」等專業課程❼。

三、檔案管理人才之需求與供給

　　公務機關及公司行號的營運都依賴公文記錄的收藏、整理、維護及利用。每一機關（構）自成立即面臨文書檔案的問題。這個工作已成為專業工作，並非一般人可以勝任的。為了要提高檔案管理的品質，使之科學化、系統化及一致化，進而獲致良好的行政效率。根據最近的中華民國銓敘統計的統計，台灣地區的政府

機關共有七、七一二個❽，經濟部所編國內外經濟統計指標速報的統計❾，農工商及服務業機構有六七、○九○家。內政部統計提要則臚列了四九○個中央政府所轄的及地方政府所轄的七二一個，共有一、二一一所之多台灣地區人民團體❿。中華民國教育統計指出台灣地區共有大學院校一、○九八所，研究所六二三所⓫。而檔案學教學方面則在圖書館系、企管系或商專裡開一、二門課，其他事由各機關或學會提供在職進修的講習或在高普考及格人員職前訓練終點綴二小時「文書處理」課程，的確不夠深入或完整⓬。民國八十一年元月份草擬的「檔案法草案」，具體建議成立國家檔案館，亦建議各機關成立檔案單位，以上的實況和法案都證實檔案管理單位的重要性以及培養學有專精文書檔案人才之必要性。

整合性資訊服務人員研究所之設置

因下列理由個人認為在高等教育研究所階段，加強及提昇資訊服務者整合性的服務教育是不可忽視的一環：

一、 為因應資訊爆發、新興科技發展、資訊技術進入文化事業，以及科際學術整合之需要。

二、 為配合國家建設計畫，充實文化措施，培育圖書館、文化中心、資訊中心、博物館，以及文書檔案單位所需具有專門學科背景之專業人才。

三、 為提昇圖書資訊學、博物館學、檔案學專業人才之品質與服務水準，以奠定圖書、資訊、文物管理和檔案管理事業發展之基礎。

四、 為培育具備專門學科背景或外國語文能力之圖書資訊、博物館及文書檔案專業人才，以提昇服務品質，增進效益。

五、 為提供我國大學各專門學科畢業生接受圖書資訊、博物館及檔案專業教育，以儲備更專精之圖書資訊服務人員。

資訊服務人員培育重點及課程規劃

六年前國立政治大學就開始籌畫一種整合性的資訊服務專業教育，以因應當前及潛在的需要。這個教育計畫除了並重電腦資訊技術專業知能外，亦同樣注意管理科學及心理學之應用。領導技能、政策制訂、標準與法令都是培育人才所注意到的重點。

因此，政大圖書資訊研究所的課程既是多元化，亦富整合性。有若干電腦科技方面的課程式融合在各專題研究中，使之整合，亦有些是跨科際的。根據以上的原則，政大初步做了以下的課程設計❸：

課程類別	課　　程　　名　　稱	必修	選修	學分數	備註
共同課程	研究方法與論文寫作	✔		2	
〃	統計學	✔		2	
〃	圖書資訊學研究	✔		2	至少選修一門
〃	博物館學研究	✔		2	
〃	檔案管理學研究	✔		2	
〃	讀者服務研究	✔		2	
〃	技術服務研究	✔		2	
〃	資料庫管理系統（含系統分析）		✔	2	
〃	電腦網路與通訊		✔	2	
〃	作業系統研究		✔	2	
〃	資訊政策研究		✔	2	
〃	資料與檔案結構		✔	2	
〃	中文電腦專題研究		✔	2	
〃	計算機程式語言研究		✔	2	
〃	管理資訊系統（含分散系統）		✔	2	

課程類別	課　　程　　名　　稱	必修	選修	學分數	備註
共同課程	第二外國語文		✔	2	
圖書資訊學	參考文獻研究		✔	2	
〃	連續性出版品管理		✔	2	
〃	非書資料研究		✔	2	
〃	目錄學研究		✔	2	
〃	索引與摘要研究		✔	2	
〃	圖書館統計		✔	2	
〃	書目計量學研究		✔	2	
〃	館藏規劃與發展研究		✔	2	
〃	圖書史與圖書館史		✔	2	
〃	比較圖書館學		✔	2	
〃	圖書館自動化研究		✔	2	
〃	資料儲存與檢索		✔	2	
〃	新資訊媒體之技術與服務		✔	2	
〃	圖書館與資訊中心管理研究		✔	2	
〃	圖書館、資訊中心建築與設備研究		✔	2	
〃	專科圖書館之研究：				任選二門
〃	醫學圖書館研究		✔	2	
〃	科技圖書館研究		✔	2	

課程類別	課　程　名　稱	必修	選修	學分數	備註
圖書資訊學	人文科學圖書館研究		✔	2	任選二門
〃	藝術圖書館研究		✔	2	
〃	音樂圖書館研究		✔	2	
〃	社會科學圖書館研究		✔	2	
〃	工商圖書館研究		✔	2	
〃	中國藝術史研究		✔	2	任選一門
〃	西洋藝術史研究		✔	2	
〃	中外科技史研究		✔	2	
〃	古籍與文物整理之研究		✔	2	
〃	博物館建築與設備研究		✔	2	
〃	圖書文物之維護與保存		✔	2	
〃	古器物研究		✔	2	
〃	工藝史研究		✔	2	
〃	印刷史研究		✔	2	
〃	博物館管理研究		✔	2	
〃	博物館展覽研究		✔	2	
〃	博物館自動化研究		✔	2	
〃	藝術鑑賞		✔	2	
〃	各型博物館研究：				

課程類別	課　程　名　稱	必修	選修	學分數	備註
博物館學	歷史博物館研究		✔	2	任選一門
〃	海洋博物館研究		✔	2	
〃	藝術博物館研究		✔	2	
〃	科技博物館研究		✔	2	
〃	民俗博物館研究		✔	2	
檔案管理學	文獻學研究		✔	2	
〃	檔案分類與編目		✔	2	
〃	檔案維護與複製		✔	2	
〃	手稿資料管理研究		✔	2	
〃	科技檔案管理研究		✔	2	
〃	工、商檔案管理研究		✔	2	
〃	公文檔案管理研究		✔	2	
〃	中文史料檔案管理研究		✔	2	
〃	西文史料檔案管理研究		✔	2	
〃	國內政府出版品管理研究		✔	2	
〃	國際政府出版品管理研究		✔	2	
〃	檔案館管理研究		✔	2	
〃	檔案館自動化研究		✔	2	
〃	檔案館建築與設備研究		✔	2	

結 語

在資訊時代中,資訊服務已能超越時空,透過電腦網路來提供服務;圖書館界、博物館界及檔案界都不能再依賴電腦界的配合,必須要自力更生,自己掌握資訊技術,有自己專業的資訊師—系統圖書館員 (System Librarian) 系統博物館員 (System Museum Worker) 及系統檔案工作者 (System Archivist)。

有效的資訊服務建築在服務人員的學識、知能及態度上。目前在教育上已受到相當的重視,但是也要有適當法令的配合。這些優良的資訊服務者,假如沒有適當的專業地位,職等很低,社會教育人員無法與教育人員的地位相比,在這種歧視的情形下,專業人才無法長久留任。因此,在各種專業的法案中,如圖書館法、博物館法及檔案法都應對專業人員地位加以重視。

附 註

❶ Galvin, Thomas J. "Convergence or Divergence in Education for the Information Professions: An Opinion Paper," *Bulletin of the American Society for Information Science 21(6)* (Aug./Sept. 1995):

$7 \sim 14.$

❷行政院經濟建設委員會，國家建設六年計劃，第四冊，提昇國民生活品質，(台北：該會，民國80年1月)，頁357～369。

❸國立中央圖書館館刊，新27卷2期(民國83年12月)：8。

❹國立中央圖書館台灣分館，加強公共圖書館建設六年計劃(草案)，(民國81年元月20日)，頁1～2。

❺「台灣地區省(市)、縣(市)立圖書館及文化中心圖書館發展現況」，台北市立圖書館館訊，第7卷4期(民國79年6月15日)：87～88。

❻考選部電腦統計資料。

❼國立臺灣師範大學社會教育研究所，「社教機構現職人員進修意願與進修需求調查研究」，(民國78年3月)，頁73。

❽銓敘部，中華民國銓敘統計，「表1歷年全國各機關(構)及學校數」，(民國84年6月)，頁25。

❾經濟部統計處編，經濟統計指標速報，「E-18商業登記現有家數」，(民國84年6月)，頁50。

❿內政部統計處編，內政部統計提要「表90 臺閩地區中央政府所轄人民團體」，(民國83年)，頁297。

⓫教育部編，中華民國教育統計(民國84年)，頁100。

⓬張樹三，「台灣地區『檔案管理』教育之發展」，當代圖書館事業論集慶祝王振鵠教授七秩榮慶論文集，(台北：正中書局，民國83年7月)，頁73～79。

⑬國立政治大學圖書資訊學研究所計畫，（台北：該校，
民國82年10月）

我國圖書館界國際專業活動之回顧與展望

前言

　　每一種專業都有一社團法人組織來促進、支援并發揮該專業進行規劃、研究、發展、輔導和聯誼的功能；既能主導專業的成長、專業地位的提昇與服務的改進，也促進專業人員的聯誼、經驗的交換與分享。雖然每個社團的專業不同，業務有所差異，但絕大多數的專業組織都有國際交流的合作活動。原因當然是因為世界已因各種電訊和交通的發達，各學科內涵在日新月異地成長、各行業不再受到空間遠近的影響，必須要不分國別地與同行交換意見，相互切磋，謀求合作，以促進該專業的進步與發展。推動國際活動的單位在各種專業都不盡相同，例如美國圖書館協會 (American Library Association) 設「國際關係圓桌會議」(International Relations Round Table)、美國資訊科學學會 (American Society of Information Science) 有「國際資訊問題委員會」(Special Interest Group of International Information Issue)。我國之中國圖

書館學會在會章的任務此章下，很明確地把「促進國內、外圖書館及學術機關之聯繫與合作」列為任務之一，根據這個任務才有國際關係委員會的設立、推動和執行這方面的工作。

中國圖書館學會的國際關係活動

中國圖書館學會自民國四十二年成立以來，一直到民國五十一年第九屆理監事聯席會議才有國際關係委員會的紀錄，國立中興大學圖書館館長范豪英教授所撰寫的「我國圖書館事業的國際關係－近況報告」一文中詳細地作了一個敘述❶，把有紀錄的第九屆、十八屆、廿九屆、卅屆、卅一屆、卅二屆、卅三屆、卅四屆和卅五屆擔任中國圖書館學會國際關係委員會召集人和副召集人的姓名列出，把國際關係的活動作了一個很詳盡的報導，並指出「中國圖書館學會三十年大事日誌」，藍乾章教授寫的「三十年來的中國圖書館學會」，沈寶環教授所撰的「圖書館事業的國際關係」等都是重要文獻。從這些資料中，可將本國國際關係的活動歸納為下列三種：

一、國際會議之舉辦與參與。

二、訪問活動、繼續教育與訓練。

三、國外學者專家蒞臨本會年會作專題演講或報告。

因為本人熱心推動圖書館事業，關心國際事務，僅就以上各類民國七十八年至八十年來的活動繼續作一簡要的報導，而後提供一點意見，供學會參考，希望同道能重視圖書館界的國際活動。

一、國際會議之參與及主辦

民國七十八年八月十九日，國際圖書館協會聯盟 (IFLA) 在巴黎召開第五十五屆年會，以「過去、現在、未來經濟發展中的圖書館與資訊」為主題，我國圖書館界由王振鵠教授領隊會同胡歐蘭教授，范豪英教授及工業資訊策進會圖書館黃婉華主任出席該年會。胡歐蘭教授在社會科學圖書館委員會分組會議中宣讀「中文機讀書目光碟資料庫」論文、范豪英教授在「亞洲與大洋洲地區」會議中發表「光碟系統之評鑑」論文❷。這一次會議我國除了能發表這兩篇有意義之論文外，最值得慶幸的是經過

我國代表的爭取，國際圖書館協會聯盟的會長及執行長都一致支持我國恢復為正式會員之意，使我國自六十三年以後第一次可以用「國立」的名稱出席會議。事後胡歐蘭教和范豪英教授都在中國圖書館學會會報裡作了詳盡的報導，與同道們分享當時的盛況和榮耀❸。

　　民國七十九年五月四日及五日，立法院在臺北國際會議中心舉辦亞太地區國會圖書館臺北國際會議，以電腦資訊在立法工作中的應用為中心議題，分三場會議進行：一、電腦資訊在政府中的應用；二、圖書館自動化與合作；三、立法資訊系統。有韓國、菲律賓、馬來西亞、泰國、巴基斯坦、新加坡、索羅門羣島及印尼等個國家的代表參加發表了篇論文：宋玉教授和 Jane Anne Lindley 分別發表「電腦資訊在政府中的應用」、賈所長玉輝發展「中華民國主要數據傳輸系統」、Choah-Koo Sail Poh 發表「新加坡整合性圖書館自動化系統」、Pornpimol Tirakunqouit 發表「圖書館自動化與合作」、Barbara Kile 發表「電子型式出版之美國政府資訊」、胡歐蘭教授發表「中華民國圖書館自動化」、Ioobong Kim 與 Usachom Pankam 分別發表「立法資訊系統」、顧敏

教授發表「立法資訊系統之策略性發展」以及本人所發表的「圖書館自動化與合作」等論文❹。

　　民國七十九年五月七日至十一日亞洲及太平洋區國會圖書館協會 (APLAP) 在韓國漢城舉辦第一屆年會 (The First Biennial Conference of the Parliamentary Librarians' of Asia and the Pacific Region) 提出「立法資訊的發展策略」專題報告。顧敏教授、林國華先生與胡忠和先生三位出席。會中顧教授得全體首席代表的支持，當選為該會第一副會長，這不僅是他個人的榮耀，也是國家的榮譽❺。

　　民國七十八年五月廿九日至三十一日，美國西蒙斯圖書館與資訊科學研究所 (Simmons College) 的陳欽智教授在新加坡舉辦第二屆太平洋新資訊技術會議，研討資訊系統與服務、圖書館自動化、資料庫的建立與應用、線上資訊檢索系統、光碟技術應用，以及國家一區域 ISDN 網路等，我國由國家科學委員會馬主任道行帶領許副研究員玉珠、項組長紹長和賴瑞琅先生前往出席，並發表「中華民國線上科技資訊網路」及「科技全國資訊網路中英文資料庫的架構、建立、檢索」二篇論文❻。

　　民國七十八年九月四日至八日，泰國 Thammasat

大學經國際圖書館會聯盟、聯合國文教組織(UNESCO)及泰國圖書館學會的贊助，在曼谷召開「國際資訊技術研討會」，旨在謀求書目控制之完善發展，中華民國、日本、印尼、法國、香港、美國、英國、菲律賓及泰國均有代表出席。我國由國立藝術學院陳主任國瓊和本人出席。本人應邀在第三場討論會擔任主持，在第二場討論會擔任評論人，乘機說明我國目控制和資訊科技發展之卓越成果。

　　民國七十九年一月廿三日至廿八日美國圖書館協會(ALA)在美國芝加哥市召開第一〇九屆年會，主題是「資訊之獲取─回歸原始基本要素」，目的是將目前美國圖書館與資訊界主要值得討論的問題加以審視，完整地規劃白宮圖書館會議的議程和討論題綱，涵蓋很廣，包括掃除文盲到圖書館館法的問題。學會理事長沈寶環教授、原國立中央圖書館館長楊崇森教授、胡歐蘭教授、立法院圖書館資料室顧敏主任和本人均應美國圖書館協會會長 Patricia Wilson Berger 之邀，以貴賓身分出席，除了參加多項學術議外，並建立了本會與美國圖書館會更密切之會際係，再次完成了進行學術外交的使命❼。

　　民國七十九年六月廿四日，華人圖書館員協會

(Chinese － American Librarians' Association)在美國芝加哥華埠公共圖館及希爾頓大飯店舉辦兩場會議第一場的主題是「國際間取得特殊資訊之途徑」(International Access to Specialized Information)，由華人圖書館員協會楊彼德(Peter Young)會長和副會長司徒達森主持，有五位國外的同道與本人發表論文，本人論文題目為「電子名人錄對漢學研究之助益」。第二場是由中國圖書館學會與華人圖書館員協會合辦的會議，由本會沈理事長寶環及代表學會國際關係委員會的本人共同主持，此場主題為「中美圖書館之合作與臺灣經驗」(Sino-American Cooperation and Taiwan Experience)。論文包括：沈理事長寶環主講的「中華民國文化中心之設置、功能與現況」(The Organization, Function, and Problems of Cultural Centers in Taiwan, Republic of China); 楊館長崇森主講的「中美圖書交換之合作」(Sino-American Book Exchange: Book Exchanged Between the NCL and U.S. Institutions); 胡主任歐蘭主講的「中華民國書目資訊綱之發展」(Library Automation in the Republic of China); 顧敏主任所講的「立法資訊服務」(Legislative Information Services)等。

此次會議最令人興奮的是，該會並於年會中頒

發本會沈寶環理事長及顧敏常務理事特殊服務獎
「The 1990 CALA Distinguished Service Award」，此不但
代表海外華人圖書館界對國內頁獻卓越人士的推崇
之意，更表示出對祖國圖書館事業的肯定❽。

　　民國八十年五月八日至十二日由中國圖書館協
會協助國立中央圖書館在臺北舉辦「圖書館與資訊
服務新境界」國際研討論會，以開拓圖書館與資訊
服務新境界為會議主題，下分五個會議子題：㈠各
國(地區)圖書館事業發展；㈡資訊技術與系統；㈢
資訊媒體與服務；㈣圖書館與資訊教育；㈤漢學圖
書館與資源。共有國內外二百多位人士出席，並發
表五十三篇論❾。

　　民國八十年六月廿九日至七月四日美國圖書館
協會在喬治亞州亞特蘭大市世界會議中心召開第一
一〇屆年會，以「讀書的小孩會成功」為主題，，
我國同道去參加的有：國立中央圖書館編目組鄭主
任恒雄、江琇瑛女士；國科會科資中心第一組石組
長美玉、交通大學典藏組王主任美鴻、淡江大學圖
書館黎瑞莉和葉玫玉小姐❿。

　　民國八十年六月三十日，華人圖書館員協會以
「二千年時代之圖書館事業」為主題，在喬治亞州

亞特蘭大市舉辦年會，此會由會長張庭國博士主持，
共宣讀了五篇論文。論文包括:江股長琇瑛的：「中
文書目光碟資料之設計與展望:國立中央圖書館經驗」
(The Design and Future Perspective of Bibliographic Data on
CD-ROM: the Experience of the National Central Library)；
石組長美玉的：「現代資訊服務之改進方向:STIC之
角色」(Promotion of Modern Information Services: The
Role of STIC in Taiwan, Republic of China)；李會長長堅
的：「美國的總統圖書館：在臺灣設立總統圖書館
之模式」(American Presidential Libraries: a Model for
Establishing Presidential Libraries in the Republic of China)；
蔡博生博士的：「將資訊協調概念應用至文化多樣
性與多面性使趨於和諧論」(Applying the Concept of
Information Coordination to Harmonize Cultural Multiplicity
and Diversity Effects)，及 Ms. Joann Sau-King Young 的：
「公元二千年之圖書館事業：社會技術觀點」(Libra-
rianship of the Year 2000: a Social-technical Perspective)⓫。

　　民國八十年八月十八日至廿四日，國際圖書館
協會聯盟在莫斯科國際貿易暨對外科技合作中心召
開第五十七屆年會，以圖書館與文化的關係為主題，
並有八個子題：

一、圖書館具備文化中心的功能
　　科學無疆界
　　圖書館與新思想
　　圖書館與世界藝術

二、多民族國家的圖書館
　　圖書館如何對具有不同文化的人口羣進行服務

三、如何做一個具有國際胸襟和眼光的圖書館員

四、國際交換以促進文化交流

五、兒童是二十一世紀的創造者
　　圖書館在培養青少年具備世界知識和眼光上應
　　扮演的角色
　　美術教育與圖書館

六、以現代技術處理世界文化資訊

七、文化遺產的保存與維護
　　加強圖書館的國際合作以重建因自然災害而受
　　損的典籍

八、圖書館員與社會教育制度

　　我國代表團由原國立中央圖書館館長楊崇森教授領隊，有下列同道參加：國立交通大學圖書館丁館長崑健、國立故宮博物院圖書館王館長景鴻、國立臺灣工業技術學院圖書館王館長逸如、國立政治大學圖書館胡館長歐蘭、編目組朱主任護平、國立臺灣大學圖書館系、所李所長德竹、胡述兆教授、原國立中央圖書館國際交換處汪主任雁秋、國立臺灣圖書館孫前館長德彪、國立臺灣師範大學吳騮璃老師、國立中興大學圖書館范館長豪英、國科會科資中心馬主任道行、輔仁大學吳祖善教授、農業資料中心研究發展組陳組長能敏、黃秘書韻瀅、資策會資料服務中心黃組長宛華、林語堂紀念圖書館楊主任秋明、臺北市立圖書館視聽中心鄭主任欽鳳等十九位。會中由范館長豪英以「 User Education in Chinese Academic Libraries: A Study of Current Problems in Taiwan 」為題發表論文⓲。

　　民國八十年十月廿七日至三十一日，美國資訊科學學會(ASIS)在美國華盛頓特區舉辦第五十四屆年會，探討「人們了解資訊系統和資訊系統了解人們」等相關問題。中國圖書館學會理事長沈寶環教授率

領國家圖書館蔣嘉寧小姐、楊智晶小姐，美國資訊科學學會臺北學生分會會長廖育珮、副會長周曉雯出席。這是第二次由學生以學生身分出席這種際專業會議，確富有激勵意義的活動❸。

訪問、繼續教育與訓練

我國出外訪問的活動甚為頻繁，大都是順道參觀，或專門經由機構安排作有系統的繼續教育活動。後者多數是透過美國俄亥俄大學圖書館李館長華偉的協助與安排。

民國七十九年九月二日至二十日，我國大學圖書館學系教授王振鵠、沈寶環、胡述兆、李德竹、盧荷生、吳萬鈞、吳祖善、吳明德、吳瑠璃、林孟真、范豪英、凌公山、陳錫洪、陳國瓊等十四位同道組成訪問團赴北京、上海、天津和武漢等地訪問，參觀當地圖書館，並就圖書館事務、圖書館教育、圖書館自動化、圖書館資訊網路等主題作廣泛之討論，頗有參考價值❹。

國外來訪同道亦甚多，每次來訪，學會都和國家圖書館聯合辦理一些活動，以提供國內同道們擷取新知識的機會。

　　民國七十八年六月二日美國俄亥俄大學圖書館李華偉館長來訪，並以「六十年代以來美國圖書館自動化的幾個重要里程碑」為題，發表專題演講❺。李志鐘教授夫婦亦返台作專題演講❻。

　　民國七十八年六月五日至七日麥麟屏教授訪華，曾在國立中央圖書館作有關編目之研討，其討論主題涉及：一、主題分析的工具，二、美國國會圖書館標題之理論與應用，三、英美編目規則第二版等❼。

　　民國七十八年八月一日中國圖書館學會研究發展委員會及圖書館法規及標準委員會邀請當時來華訪問之美國匹茲堡大學圖書館學與資訊科學研究所所長Dr. B. Woolls及Dr. R. Korfhage舉辦「圖書館標準座談會」，討論以下各項問題❽：

一、如何有效地達成資訊共享的目標。

二、中文圖書分類法之採用。

三、機讀編目格式之採用，以利圖書館間書目資料之轉換。

四、發展圖書館自動化，制度標準之主要性及達成目標的途徑。

　　民國七十八年八月九日美國佛洛里達州立大學健康科學圖書館許王璧雍女士來訪，與中國圖書館學會醫學圖書館工作人員座談。主題包括：佛州大學圖書館自動化系統、生物醫學資訊檢索系統及微電腦在圖書館中之應用等❶。

　　民國七十九年五月十六日至十七日，美國圖書館協會派萊斯 (Rice) 大學政府出版品特藏主任任凱爾 (Barbara Kile) 以美國圖書受獎助者 (Book Fellow) 的身份來臺訪問，凱爾亦以「政府出版品之管理與利用」為題，發表專題演講❷。

　　民國八十年五月六日至八日，中國圖書館學會和美國資訊科學學會臺北分會特別邀請美國伊利諾依大學圖書館與資訊科學研究所藍克斯特教授 (F. W. Lancaster)，在來臺開會之便舉辦「圖書館營運及服務評鑑」研習會，研習的內容是一般評估、館藏評估、書目查證評估、館藏利用評估、書籍取得率評估、資料庫檢索評估、成本效益評估等。有圖書館界教員、館員和研究生六十人參加，甚有績效❸。

國外專家學者之專題演講

　　民國七十七年十二月四日，學會於第卅六屆年

會時，特別邀請了美國資訊科學學會會長潘禮曼
(David Penniman)蒞會作專題演講，以「資訊時代與資
訊從業人員的今與昔」為題，提出下列五點意見：
一、積極擴展高科技的資訊產品與服務以嘉惠大眾；
二、利用高科技以加速資訊之傳遞；三、利用電腦
科技，增加資料儲存量，以提供更有效的服務；四、
鼓勵社會大眾多利用圖書館資訊，以提昇社會知識
水準；五、資訊從業人員及圖書館專業人員應共同
改進與資訊有關之知識與技術，以提昇服務水準，
並因應資訊時代的挑戰❷。

　　中國圖書館學會第卅六屆年會中，更邀請了澳
洲國立大學圖書館亞太研究組主任陳炎生先生、荷
蘭漢學研究院圖書館吳榮子館長、美國西雅圖華盛
頓大學東亞圖書館盧館長國邦、美國伊利諾依大學
亞洲圖書館館長汪燮博士及前美國史丹福大學編目
組主任駱傳華先生等就「圖書館資源與國際交流」
為題，作專題研討會，獲得國外專家的各種建議如
下：

一、加強收集大陸出版品，促進海峽兩岸文化交流。

二、臺灣派員學習荷蘭話，以充分利用資料，有助

於臺灣研究。

三、中華民國政府作一周全的「中國文化援外計畫」，可促進國際合作與交流。

四、國立中央圖書館先作海外圖書館人員需求及意願調查，進而按需求進行人員交換。

五、國立中央圖書館或中國圖書館學會提供國際有關自動化最新資訊給國內各圖書館，以免國內這方面知識落後，並希早日完成國際資訊綱連線工作。

六、中國圖書館學會組技術訪問團到國外作專業訪問及觀摩，俾能吸取最新知識，有助於我國圖書館事業之改進。

七、教育部或有關單位成立區域資訊中心，如：
㈠中華文化科學園區研究中心
㈡中華文化資料資訊中心
㈢中華文化網路中心
㈣中華文化光碟生產中心等

以上建議，若為我國圖書館界所採納，將可節

省個別往返找尋資料的時及解決國外索取我國有關資訊之困難❷❸。

　　民國七十八年十二月十日中國圖書館學會召開第卅七屆年會時，邀請美國俄亥俄大學圖書館李館長華偉蒞會演講，題目是「圖書館服務的新技術與新觀念」，由社會的變遷談到新技術的發展，提供新措施與觀念，強調專業性教育的重要性，並以兩點期勉同道：一、不要滿足現狀，應不斷地求進步；二、要具有敬業和奉獻的精神❷❹。

　　美國新聞總署區域圖書館顧問 Paul Steere 及在臺協會文化組組長 David Miller 均蒞會作簡短的演講，強調圖書館工作之重要性，并對我國圖書館事業的發展多所推崇。

　　民國七十九年十二月二日學會召開第卅八屆年會，美國霍華大學 (Howard University) 圖書館副館長何光國教授應邀到場主講「使圖書館為社會工作」，他呼顧圖書館至少要做到下列三點來真正擔負起責任，真正為社會工作：一、使圖書館的館藏、設備和專業服務與讀者的資訊需求完全吻合，二、努力增進讀者與需求資訊之間溝通的機會，三、發展圖書館公共關係，使讀者與圖書館雙方均能達到「知

己知彼」的境界㉕。

未來活動之建議

由以上的簡報可以得知中國圖書館學會在國際專業活動上投下了不少心力，也甚有績效。謹就這三類活動以及其他可進行的事項提出淺見，敬供學會規劃未來國際活動時參考：

一、國際會議之參與及辦理

我國圖書館界固定參與國外的會議大都是美國圖書館協會的年會、國際圖書館學會聯盟的年會及研討會、華人圖書館協會的年會和美國資訊科學學會的年會等。我國舉辦的國際會議也大部分是由中國圖書館學會和國家圖書館合辦的，合作無間，很有績效。為了使同道們更積極地參與國際專業會議，也希望我國的專業性會議繼續能適時用適當的主題召開，建議下列方法：㈠由中國圖書館學會國際關係委員會函上述這幾個固定召開會議的組織，收集該會舉辦會議的議題資料，根據此資料所列的主題邀約同道們準備相關的論文，組成 Panel，排上議程，發表論文。以主動出擊的方式鼓勵同道就研究相關

的主題提出研究成果，促進國外同道對我國圖書資訊專業多所了解，亦可使我國同道對國際圖書館資訊專業多所了解，幷可使我國在國際圖書館資訊界的地位，來提昇我國在國際間的整體地位。㈡除了在美國的專業組織外，本會更直透過各種管道爭取到去其他國家或地區開會發表論文的機會，例如英國圖書館協會、加拿大圖書館協會、澳洲圖書館協會等等。㈢我國所舉辦之國際會議素質甚佳，為了更獲效益及廣泛的參與，建議作五年的規劃，先調查國內有那些需求，有那些主題是有興趣的，再據之分段召開。事先的妥善規劃可以洞悉同道的興趣所在，將主題調整後分次辦理，可免一個會議裡涵蓋了各種主題，將人員及場次分散，無法在某一特定主題上作深入的討論。倘若有了五年的規劃，在論文主題及經費安排上更可都考慮得完善一些。

二、訪問、繼續教育與訓練

我們可將國外來訪人士分為三類：㈠客座教授；㈡為其他會議、活動或觀光、探親而來者；㈢由學會專誠邀約來訪者。國內同道訪問其他國家也有三種情況：㈠因出席會議或辦理其它公務順道訪問圖

書館或資訊中心；㈡組團參觀某特定地區；㈢赴某
一特定單位實習、受訓、接受專業訓練及繼續教育。
來訪人士經常被邀作專題演講或研討會及座談會一
類活動。客座教授通常係經過國科會和大學邀請而
來，大都是講授較新穎的科目。本會似可掌握這些
機會，邀請他們就所開的專業課程作連續性及有系
統的專題演講或研習會。以往的客座教授大都由中
國圖書館學會或國家圖書館邀請作一至二小時的演
講。雖這是很好的作法，但畢竟為時稍短，同道獲
益有限，一、二週或二、三天的研習會會更有效，
但各校邀請的客座教授也有規定限制他們在校外的
工作，學會若邀約他們舉辦研習會時，必須先請客
座教授照會任教的學校，知會國科會，以求手續之
完整。這種講習會一定有經費的開支，酌情收成本
費用，應為可行之道。因私人訪問來作演講，通常
是即席演講，經常屬於見聞性的，學會最好先向演
講人說明聽眾的需求，以免有過深或過淺之虞。

　　為了因應我國專業的需要，主動邀請學者專家
專程來臺可能是上策。若為在國際會議的前後舉辦
研習或講習會，在旅費上可以撙節一些；若為不是
參加國際會議者，則主辦單位要考慮的經費問題較

多。國內圖書館系所越來越多，也很需要獲得國外的專家學者在教學上的短期支援，所以中國圖書館學會可以考慮和設有圖書資訊系、所合作，由大學或學院出面向國科會申請短期講學的補助，支援主講人交通、住宿及鐘點費用；若中國圖書館學會僅負責事務性的費用應為力所可及者。學會每年都舉辦暑期研習班，提供基礎訓練性繼續教育機會。但在職人員迫切地需要高深的在職訓練，吸收新穎的知能。這種專題研習會如「領導規劃」(Leadership program) 及其他與資訊相關的主題都是大家盼望辦理的。最近中國圖書館學會和 ASIS 臺北分會合辦的有關「評鑑」的研習會就是這種性質。這種密集的研習會，辦理的期間可能是一至三天或一至三週。學會若能在暑假裡或寒假期間舉辦這類的研習會，將是嘉惠在職教師和圖書館員一種極富意義的繼續教育與訓練活動。華人圖書館員協會就有意組織這類研習會，一方面來訪問、座談，一方面來講授短期課程。但國外的同道們對我方的需求並不熟悉，所以要視本會調查會員的意願、釐清並指定主題，切實地使國內外同道能分享他們的專業知識與智慧，以免淪為形式或內容層次不夠深入的情形。

　　我國同道到國外參觀的機會不少，但大都因為行程緊湊，只能走馬看花，獲得一些資訊增廣見聞。特別組團去參觀某一類型的圖書館或某項業務則較為具體。本會的同道亦組織過類似的活動。最具成效與國外圖書館合作辦理的在職訓練或者參觀活動可能是和俄亥俄大學圖書館的合作計畫。國內很多圖書館都承李館長華偉的協助，派員到俄亥俄大學圖書館實習參觀。同道們藉實際在美國圖書館裡作業的經驗，來印證書本上的理論。這種方式因為合作的圖書館有人數限制，能參加人也因此減少。本會宜發掘更多國外有規模的圖書館來提供機會，使我們的同道能有實際去領教新技術和新理論的機會。

　　國外有中文館藏的圖書館也希望國內同道為他們舉辦有關處理我國古籍的研習會，此類研習會也己經辦理過，應要繼續舉辦下去，不但開放給國外的同道，也一樣要開放給我國的同道來參與，以落實保存並傳播中華文化。

　　一般人都有一個印象，到國外去接受專業教育或訓練必須要攻讀學位。實際上，國外的圖書資訊學研究所亦因應要求來設計我們需要的課程，提供密集的課程如圖書館規劃、圖書館設計、摘要與索

引、圖書館建築等。本會亦可與一些國外圖書館及資訊科學研究所作類似的安排,提供我國同道一個在職進修的新管道。

三、出版品與資訊交流

　　范豪英教授曾針對此項工作做過說明和報導。在會訊中刊登與圖書資訊相關之國際性會議預告,將我國有關圖書資訊出版品寄交索引摘要社供作索引,都是很卓越的見解,希望本會能繼續推動這方面的工作。本人亦建議與其他國之學會進行會報與會訊的交換活動,並將交換獲得之資料簡錄目次刊在會訊中,必定對本會會員及圖書館資訊事業的發展有所助益。

　　締結姐妹會,與友會加強聯繫與合作亦是圖書館學會國際專業活動中可循的途徑。

結 語

　　全國圖書館會議於七十八年二月廿一日召開研討圖書館事業應革興事宜,將「……加強國際合作關係、謀資訊之共享」列為研討重點。討論議案「積極參與國際資訊活動,以宣揚我國資訊研究成

果，提昇我資訊服務水準，並促進國際資訊交流」後，曾作以下決議❷⑥：一、請各主管單位准許各資訊服務機構分別編列預算，派員參加各種國際性相關的會議及活動；二、建議教育部撥予專案經費，定期舉辦國際性資訊服務研討會，邀請各國資訊科學專家前來指導，以提昇我國資訊服務之水準。由以往的活動可見，國際專業活動之重要性已獲得共識，任何作業的成功都是事在人為。多年來同道們都在這方面默默耕耘，尤其是中國圖書館學會的理事長、理監事、國際關係委員會召集人和總幹事的精心策劃、及國家圖書館全力的支持和協助下，有豐碩的成果和績效。籍此文表達對他們崇高的敬佩與感謝之意。也誠摯地祝福中國圖書館學會的各種業務，與日俱增，蒸蒸日上。

附註

❶ 范豪英，「我國圖書館事業的國際關係－近況報告」，中國圖書館學會會報，第 43 期 (民國 77 年 12 月) : 51～60。

❷ 范豪英，「醫學光碟資料庫的利用評估」，中國圖書館學會會報，第 43 期 (民國 77 年 12 月) : 213～221。

❸胡歐蘭,「第五十五屆國際圖書館協會聯盟年會紀實」,中國圖書館學會會報,第45期,(民國78年12月):201-208;范豪英,「參加第五十五屆圖書館協會聯盟年會心得簡報」。中國圖書館學會會報,第45期(民國78年12月):209～212。

❹亞太地區國會圖書館臺北國際會議紀實,(臺北市:立法院圖書資料室,民國79年),頁56～135。

❺中國圖書館學會會務通訊,第74期(民國79年5月31日):1。

❻Chen, Ching-Chih and Raitt, David I., *2nd Pacific Conference on New Information Technology Proceedings,* (Boston: MA. Miaouse Information, 1979).

❼張鼎鍾,「美國圖書館協會第109屆年會及華人圖書館員協會1990年年會紀實」。中國圖書館學會會報,第47期(民79年12月):149～153。

❽同上註;中國圖書館學會會訊,第75期(民國79年7月31日):1:30;中國圖書館學會會訊,第78期(民國78年3月31日):8。

❾中國圖書館學會會務通訊,第77期(民國79年11月30日):45, 53～57。

❿中國圖書館學會會務通訊,第79期(民國80年6月30日):32～33。

⓫江琇瑛女士出席CALA年會報告。

⓬中國圖書館學會會務通訊,第79期(民國80年6月30日):

26～31。

⑬ *Journal of American Society for Information Science, 42:6* (July, 1991)

⑭中國圖書館學會會訊，第76期(民國79年9月31日)：1。

⑮中國圖書館學會會務通訊，第68期(民國78年5月31日)：27。

⑯中國圖書館學會會務通訊，第70期(民國78年9月30日)：3。

⑰中國圖書館學會會務通訊，第68期(民國78年5月31日)：27。

⑱中國圖書館學會會務通訊，第77期(民國79年11月30日)：41～42。

⑲中國圖書館學會會務通訊，第70期(民國78年9月31日)：2。

⑳中國圖書館學會會務通訊，第75期(民國79年7月31日)：31。

㉑中國圖書館學會會務通訊，第78期(民國80年3月31日)：59 ; 1991 *Annual Report of the ASIS Taipei Chapter.*

㉒中國圖書館學會會務通訊，第66期(民國78年1月31日)：2；第68期(民國78年5月31日)：4～6。

㉓中國圖書館學會會務通訊，第67期(民國78年3月31日)：8～9。

㉔中國圖書館學會會務通訊，第73期(民國79年3月31日)：3～5。

㉕中國圖書館學會會務通訊，第78期（民國80年3月31日）：
6～9。

㉖中國圖書館學會會務通訊，第67期（民國78年3月31日）：
5～7。

本文曾刊於＜中國圖書館學會會報＞，第48期（民國80年12月
):17～24。

資訊時代的參考服務

前言

　　參考服務是圖書館作業中最富有挑戰性的，最能嘉惠圖書館使用者的一項服務，也是圖書館重點服務的一環，在資訊時代裏有新的使命和效益。本文說明資訊的定義、資訊時代的定義，參考服務的定義及參考服務的種類和型式；第二部份說明參考服務與資訊科學及資訊時代的關係；第三部份則涉及資訊時代參考服務的使命、功能和效益；最後談到資訊時代圖書館員的素養。因深感參考服務人員的養成教育非常重要，故而提出數點建議作為結論。

定義詮釋

資訊的性質

一、物品性質 (Commodity) —— 具有交易價值，例如以前到圖書館借書或蒐集資料，大部份是免費的，自從電腦進入圖書館世界以後，資訊放到資料庫，檢索時就必須付一點資料庫和電傳費用。事實上，資訊本身存有許多的價值 (Value)，利

用適當的資訊也相對地可以得到許多利益。因此，資訊具有交易價值。譬如：書中的一部份，人腦的思維之一，檔案中的任一資料都是一種資訊 (Information)，收到這些資訊後集中起來予以使用，就變成一種力量。所以「資訊就是力量」的觀念就普遍地在社會上出現。

二、能量性質 (Energy) ── 每一項資訊有多少個 (點) 是可以算出來，所以資訊是可以計算的實體 (Physical Entity)。

三、通訊性質 ── 資訊在圖書館中最有用的就是「它是可以傳遞的」，可以「共享」的。

四、事實性質 ── 譬如：「今天星期幾？」、「老兄貴庚？」都是事實的性質。這種事實性質的資料，也算資訊。

五、資料性質 ── 資料 (Data) 的性質是資訊原始的資料。譬如索書號 E771 C87 1987，如單獨在借書時使用，就是一個資料。

六、知識性質 ── 因為經常相互使用，能夠分析所知而獲得之結論，如：書籍、報告等，也是資訊。

由以上得知，資訊具有多元性之性質，另外資訊學學者 Harlan Cleveland 亦指出資訊具有下列特性：

㈠擴展性(不斷地產生);㈡濃縮性(可以歸類);㈢替代性(替代資金、人•才或材料,具價值);㈣傳輸性(相互流通);㈤普及性(普遍存在);㈥共享性(不斷地與其他人共用,用之不盡)❶。

資訊科學的定義

　　資訊科學是以人類知識紀錄的內涵為主題,研究資訊的產生,轉換及傳播的理論與技術。技術就是指資料的蒐集、選擇、分析、索引、摘要、評論、彙編等方法處理,儲存於記錄媒體中,利用電腦處理及檢索提供給利用者。因此,電腦在資訊方面的實際應用及資訊檢索系統也因此成為資訊科學研究的一部份。

資訊科學的性質

一、具科際學科性(Interdisciplinary) ── 資訊科學與許多學科有密切關係,譬如:它涉及了以下四個大的層面;(1)電腦及資料處理的技術;(2)人類知識紀錄的儲存和檢索方式;(3)認知心理學(Cognitive Psychology);(4)電傳科技。

二、具系統性質 ── 所有資訊在研究的時候都是由小

而大，由研究許多小的部份凝聚而成一個大的
目標，譬如：目前的系統分析就是從大的架構
中找出每個小的部份和整個大的部份之間的關
係，就小的部份來了解整體的運作，每個小的
部份都會發生功能，以這些功能的互動聚集來
達到最終目的。

據 Esther Horne 在 *Information Science： An Inte-grated View* 一書中，對資訊科學的定義及資訊演變的過程說明如下圖❷：

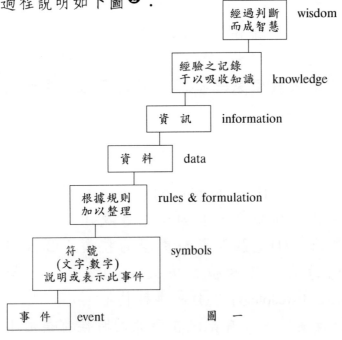

圖　一

　　每一個事件發生後，透過符號(即文字或數字)表示，再根據規則加以整理而成資料，資料經過分析、濃縮、聚集、組織而成資訊，資訊的記錄就是知識，經過累積加以判斷的知識即成智慧。這種循環是周而復始，連續不斷的作業。資訊是在每天生活當中出現。人類以前也許沒有這種感覺，其實人是靠資訊(消息)來生存、靠知識來生活、靠智慧來創造新的事件、作新的規劃及新的記錄，變成新的知識，周而復始以促進社會進步和人類各方面的成長。

資訊時代的定義

　　根 Daniel Bell 的解釋，資訊時代也就是資訊科學的時代，是一種後工業社會(Post Industrial Society)。這個時代著重以下六項：㈠資訊的生產製作；㈡資訊的儲存；㈢資訊的檢索；㈣資訊的處理；㈤資訊的傳播；㈥資訊的使用。圖書館以前只提供圖書，而現在則比較重視提供已經分析、整理過的資料，以及再經整理過的資訊，故參考服務最能表現圖書館在資訊時代扮演的角色❸。

參考服務的定義

一、凡圖書館參考參員給予圖書館使用者尋找資料
的協助，均稱為參考服務❹。

二、參考工作是指在圖書館內對於尋求資料更容易
被尋獲的各種活動在內❺。

三、參考服務最重要的本質就是回答問題，亦即讀
者向參考館員提出問題，而由館員提出答案或
只指導如何尋找答案的一種過程❻。

四、參考工作對圖書館的重要性恰如機智對軍隊一
樣重要，參考室內的資料是為特殊需要而設置
的，主要是為準備回答讀者的詢問。如：某類
圖書放在何處？或代尋及指導如何進行有關研
究與解答問題，或介紹有關文化及休閒讀物❼。

五、參考工作是友善的工作，幫助讀者使用館藏圖
書及圖書資料，而便利閱讀和研究工作❽。

六、參考服務在理論上可詮釋為人際溝通之過程，
其直接的方式是由適當之資料，提取所需要的
資訊給資訊查詢者使用。間接的方式是：㈠提
供其適當的資料來源；㈡教導其如何由資料來
源中尋找所需資訊❾。

　　因此，凡是協助讀者找尋所需的資料以解答問題，滿足資訊需求的有系統的工作，是一種人際溝通的過程，目的在提供讀者所需的資訊，並教導其使用辦法的工作都屬於參考工作❿。

參考服務的性質與層次

一、性質
　　㈠它是圖書館業務之一環。
　　㈡它是圖書館讀者服務之部份。
　　㈢它圖書館服務之輸出部份。
　　㈣它是讀物或資訊與讀者或使用者之介面或媒
　　　介。
二、層次：逐漸由第一提高到第三(最高)層次。
　　㈠詢問型：告知服務內容及簡單問題，這是服
　　　　　　　務的最低層次。
　　㈡求知型：給予有意求知的讀者閱讀指導或查
　　　　　　　尋資訊，這是第二個層次。
　　㈢研究型：協助研究，提供給學有專長人士使
　　　　　　　用，例如專題選粹的服務就屬於最
　　　　　　　高層次的一種。

參考服務的種類

一、直接服務

(一)對讀者在尋求資訊過程中提供個別協助,協助的深度和廣度是依圖書館類型和設定的服務對象而定。從回答簡單的問題到需要圖書館員運用其學科專長與資訊檢索技巧之書目查詢服務,皆屬此類服務的範疇。

(二)正式或非正式的圖書館(包括資訊中心)與其資源的利用指導。如:參觀與運用各種媒體介紹圖書館,指導如何利用卡片目錄、索引或其他工具書等活動。

二、間接服務

(一)參考資料的選擇。

(二)館際互借的進行。

(三)參考工具資料的編輯。

(四)參考服務的評鑑:定期分析成果效益。

(五)參考問題的記錄或提供影印服務。

(六)參考工作的管理(包括參考室的管理)。

　資訊時代以上一至六項都可利用新興科技成品來助辦理,更臻時效。

參考服務與資訊科學及資訊時代的關係

一、根據范恩圖(圖二)可以了解圖書館是資訊科學
　　的一部份，以及與其他部份的關係。譬如：資
　　訊理論涉及了語言學與邏輯學等；資訊技術則
　　涉及電機工程與電腦程式；資訊服務涉及圖書
　　及資訊中心，這個觀念已為大多數學者專家所
　　認同，而最清晰地將這個觀念形之於文字的則
　　是 Dr. Charles Davis 所著 " Guide to Information
　　Science " 一書❶。他把資訊科學所涵蓋的最重要
　　的三個單元表現出來，這三個單元集結起來就
　　是資訊科學，彼此之間的交集表示彼此之間有
　　重疊現象。由此圖我們知道圖書館的參考服務
　　與資訊科學有密切關係，是資訊科學的一部份，
　　亦具有資訊科學性質。

參考服務與資訊科學的關係

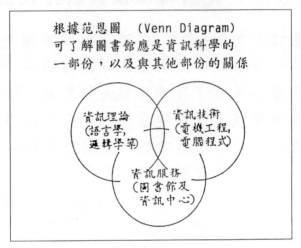

根據范恩圖 (Venn Diagram)
可了解圖書館應是資訊科學的
一部份，以及與其他部份的關係

資訊理論
(語言學，
選擇學等)

資訊技術
(電機工程，
電腦程式)

資訊服務
(圖書館及
資訊中心)

張鼎鍾編譯，資訊科學導論(台北：中國
圖書館學會出版委員會，民73年)，頁3

圖　二

二、傅寶真先生所撰「參考服務工作在未來資訊社
　　會中的發展趨勢」提供一個圖(圖三)讓我們了
　　解：資訊技術的改進，影響了我們生活的基本
　　方式與需求。社會制度也跟著變遷，圖書館的
　　制度也由傳統的被動服務變成主動的服務及酌
　　收費用的服務。圖書館性質與服務方式也因此
　　改變很多，彼此之間都有互動作用。相互影響

的情形。譬如：我們需要的資訊愈快，電腦就得朝向體積小。速度快、價錢低的目標改進。因此，凡是有進步，就有變化。變化與進步都建立在需求之上。

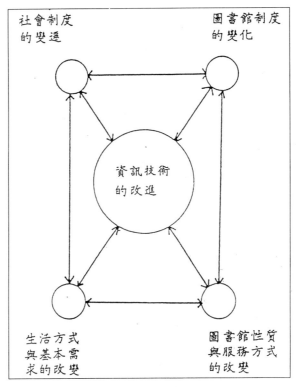

傅寶眞，"參考服務工作在未來資訊社會中的發展趨勢，"國立中央圖書館館刊18卷1期（民74年6月），頁2

圖 三

三、資訊時代參考服務的定義是一種主動性的服務，
經由相互瞭解與諮商過程，解答大眾與讀者所
提出的問題，並有效利用資料與訊息，以收傳
播知識與教育羣眾之效❷，特別強調利用新興科
技設備來進行這項服務。

由以上各位圖書館專業人士所提出的定義，
可見參考服務隨時代的演進而有所改變。總之，
資訊時代參考服務可以分下列五項再予綜合說
明：

㈠機讀資料庫的建立與應用 —— 除了引進國外資
料庫，如：DIALOG、ORBIT、BRS等，各館
亦可依據需求建立自己的資料庫，如：國家
圖書館已建立有「中華民國期刊論文索引」、
「政府公報」等資料庫供檢索。

㈡線上書目(OPAC)之利用 —— 必須做到讓讀者
自行使用，亦即必須使終端機的使用法具有
親和性。

㈢利用電腦編製索引資料 —— 可以借重電腦設備
來編製索引資料。

㈣利用電腦作專題選粹服務之提供。

(五)利用電腦、網路及傳真設備來互享資源、進行館際互借，共享資源是圖書館自動化最出及最終的目標，終於可藉各種新興電子設備達到理想。

(六)利用電腦來進行有效的管理工作，為收集數據統計資料以作評鑑的工具。談到這裡我也必須對資料庫加以介紹：

1. 線上索引、線上書目 —— 如國立台灣師範大學的中文教育資料庫、國家圖書館的書目查詢系統：中文圖書和中文期刊書目資料，文獻分析資料庫：中華民國期刊論文索引和中華民國政府公報索引。

2. 全文資料庫 —— 如漢學人才檔，漢代墓葬資料處理系統、台灣土著語言資料庫、二十五史全文資料庫、土地申告書資料庫、清代內閣大庫檔案索引、台灣博碩士論文資料庫、中研院研究人員著作資料庫、電子辭典(國語日報辭典加語法及構詞資料)、立法院立法資訊系統、委員質詢與答覆資訊系統、法律全文資訊系統、法律沿革資訊系統、立法期刊文獻資訊系統、立法新

聞資訊系統。

3. 第三種資料庫 —— 根據不同資料庫中有關某主題的記錄或資料，建立起一個讀者要參考的資料庫，稱為第三種資料庫。重新規範這些引用文獻，再重新予以索引，透過行政上的協議，而成一來自多源、有關同一主題的資料庫。例如：美國婦女教育平等通訊網，就是收集美國許多線上資料庫中有關婦女教育平等之主題而成的。

4. 私人資料庫一直接利用資料庫作線上處理，可以印出統計調查，也可以正確顯示檢索的有用性 (Usefulness of Retrieval) 及處理數量 (Manipulation of Numbers) 可成為圖書員選擇資料的依據。亦可以把某一主題的資料存入資料庫，讀者可以根據這些資料作統計上的分析，而以圖表表示之。例如：Clearing House of Information on Child Abuse & Neglience, Bureau of Labor Statistics 的 LABSTAT，提供職業、產品、價格等有關經濟的十四萬餘種統計資料加以分析。

5. 電子卡系資料庫 —— 指讀者可以在自己的家

裡、辦公室或研究室，利用自己的個人電腦與圖書館的電腦系統連接，直接檢索圖書館的全文資料庫或其他線上資料庫，並可依自己的需求直接轉換在自己的磁片或磁碟上，以備隨時參考使用，也就是指圖書館將傳統的卡片書目資料電子化。

資訊時代的參考服務的使命和效盒

資訊時代變了人類生活及工作方式，許多事務均可由機械來執行。人類對資訊的要求愈高，參考服務的使命愈重，它所應發揮的功能也因此而更多元化。當人們透過電腦來學習、來工作、來攝取資訊、來休閒時，圖書館的服務就也必須配合這個新時代的大環境。於是，參考服務亦隨之改變－從人工到自動化，由館內參考諮詢到利用外面的資料庫來提供資訊服務❸。參考服務不僅涉及館員對館藏和圖書資料的深入了解，應重視「人」的心理認知的問題，也要掌握如何善用科學技術及設備，以發揮最高的參考服務效能，以期達到把適當的資訊在適當的時間內提供給需要此資訊的人們之目的及 "User Friendly" 便利讀者的最高境界。

一、使命趨向：圖書館參考服務的使命有下列的趨
　　向：
　　㈠便利化：不分晝夜，無參考人員當班時仍可
　　　　　　　隨時服務。
　　㈡個人化：按個人特別需求而提供服務。
　　㈢專題化：按專門學科收集並提供資訊或資料。
　　㈣普及化：期冀各類讀者都可以得到服務，做
　　　　　　　到服務到家的地步。
　　㈤多元化：用各種媒介及資料類型來滿足讀者
　　　　　　　需求。
　　㈥新穎化：所提供的資訊是由最新到最近出版
　　　　　　　者整理出來。
　　㈦效率化：以最快的速度提供最有效的資訊與
　　　　　　　服務。
二、效益：茲分別以館員及讀者的立場來說明如下：
　　㈠資訊時代新興科技成品對館員之效益有以下
　　　幾點：
　　　1. 便於製作索引、工具書及建立各型資料庫。
　　　2. 便於製作電子公告欄(Electronic Bulletin Board)
　　　　，將館內資訊或引導性資訊，隨時由電子
　　　　公告欄顯示出來。

3. 協助專題選粹及 Current Awareness（新知通告）之編製及傳遞。

4. 協助提供數據作為評鑑之依據，以建立評鑑與淘汰制度。

5. 便於進行館際合作業務。

㈡對讀者的效益：

1. 讀者可在自己的終端機隨時查檢資料、目錄。

2. 可利用電子卡系系統建立自己專用的資料庫。

3. 可與圖書館連線通訊，向圖書館預約資料及進行館際互借。

從以上的敘述，我們可明顯發現的效益有五點，即「廣、精、速、準、新」，逐漸使圖書館的服務邁向超越時、空的限制，送資訊到家，將圖書館拓展到無牆的地步。

資訊時代圖書館員的素養

不管電腦多麼發達，處理速度多快、多準確，「人」的力量是最重要的。過去傳統時代的參考館員只須熟悉館藏、熟悉參考工具書及館裡業務，可

以答覆讀者問題就可以了。而資訊時代的圖書館員提供參考服務，是要具備很多傳統參考服務所不必過份重視的素養，也更富挑戰性：

一、要具備對各型資料庫內容與檢索方式之深入認識。資訊時代利用電腦處理資料，形成了資訊庫，資料庫種類無論在類型上或在主題上都相當多。參考館員必須深入瞭解各資料庫的內涵及檢索方法。

二、要了解各種新興科技成品的特性、掌握使用電子工具的技術。

三、要具備學科知識。學科愈分愈細，館員必須涉獵的學科也就愈來愈多，雖然並不一定需要深入，但至少必須瞭解各學科概論。

四、要掌握訪問技術與溝通能力。

五、要具備邏輯分析及推斷能力。

有了以上這些能力，當讀者提出問題之後，才能有效地進行下列步驟：

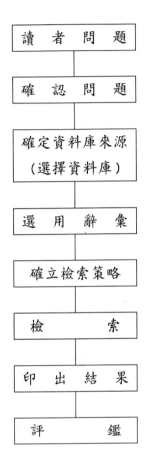

此外，資訊時代參考服務員應遵守以下兩點：

一、服務倫理

㈠個人的意見不應反映在服務中，或影響所提供的資訊之正確性。

㈡與讀者的接觸和交談內容，應視同機密，不對外宣佈。

㈢提供給讀者的答案必須有根據並具正確性。

㈣參考服務的規則(目標、範圍、對象和限制)必須予以公佈而公平地執行。

二、評鑑要點

㈠收集讀者資料及調查使用人次的數字。

㈡記錄參考問題。

㈢記錄服務結果。

結論

要培育這種十項全能人士，必須從教育及再教育著手：

一、已在職的參考服務員可以參加講習、短期密集訓練班、繼續教育課程，以及加選課程來彌補所缺之知能。

二、正式教育方面，則應循下列方式來培養稱職的

參考服務人員：

㈠圖書館學與資訊科學的統整。

㈡學科教育之加強：以輔系或雙學位方式來辦理。

㈢選修相關課程：如電腦、心理學及行銷學等有關科目。

㈣提升圖書館專業教育到研究所階段。

　我們必須能夠掌握新知，加強學科背景知識。不僅要瞭解電腦或電傳技術。希望參考服務員能對自己有興趣的學科做更深入的研究。已經在職五、六年的同道，千萬不應拒絕任何進修的機會。只有不斷地攝取新知，利用新的科技設備，才能追得上時代，提供有效的參考服務。

附註

❶ Harlan Cleveland 原著，鄒應媛譯，巨觀思考的智慧(台北：中國生產力中心，民國 78 年)，頁 45-52。

❷ Anthony Debons, Esther Horne, Scott Cronenweth, *Information Science: An Integrated View,* (Boston: G. K. Hall, 1988), pp.5-7。

❸ Daniel Bell, *The Coming of Post-Industrial Society,* (N. Y. Basic, 1973)。

❹ *The ALA Glossary of Library & Informationl Science,* (Chicago：ALA, 1983), p.118

❺ Margaret Hutchins, *Introduction to Reference Work,* (Chicago：ALA, 1944), p.10

❻ William A. Katz, *Introduction to Reference Work, 4th ed., V.1 Basic Information Sources,* (New York：McGraw Hill, 1982), p.3

❼ Louis Shores, *Basic Reference Sources,* (Chicago：ALA, 1954), p.2

❽ James Wyer, *Introduction to Reference Work,* (Chicago：ALA, 1930), p.4

❾ James Retting "A Theoretical Model: Definition of the Reference Process," *RQ18* (Fall 1978): p.26

❿ 王麗娟，「公共圖書館諮詢服務之推展」，教育資料與圖書館學，第21卷第1期 (民73年)：92～98。

⓫ Charles Davis 原著，張鼎鍾編譯，資訊科學導論，(台北：中國圖書館學會出版委員會，民國73年)，頁3。

⓬ 傅寶眞，「參考服務工作在未來資訊社會中的發展趨勢」國立中央圖書館館刊 第18卷第1期 (民74年6月)：2。

⓭ 黃世雄，「資訊社會與圖書館」教育資料與圖書館學第21卷第1期 (民72年)：86～91

本文曾刊於＜中國圖書館學會會報＞，第46期 (民國79年6月)：21～28。

線上資料庫之檢索服務及展望

前言

資料庫即是搜集資料，將它有系統的分析、整理，輸入電腦，成為記錄，以應讀者需要，隨時提供有關資訊。其英文定義，有以下幾種：

A collection of records.

Collection of machine readable information.

Computerized collection of information.

而所謂的資訊檢索，就是將資料庫的資料，檢索出來而傳遞給讀者。資料庫產生的原因，是因為現今知識爆炸，資料量多，處理機具日益精進，大量的資料用電腦來處理，使得更多的資訊、資源更便於大眾的利用。這些資訊及資源的利用，可作為我們求知，研究及改善日常生活的依據。

在一八八五年，Rayleigh 首先提出在圖書館找資料的困難性❶。一九三八年時 Wells 提出 Knowledge Center & Network Linking。一九四五年時，MIT(麻省理工學院)的 Memex system，研究出一輸入電腦的檢索制度❷。

關於資料庫的發展，根據 Martha Williams 所著之

Computer Readable Database: A Directory of Database 中列
出❸：

> 1976 年有 301 個 databases
> 1979 年有 528 個 databases
> 1982 年有 973 個 databases
> 1985 年有 2805 個 databases

而根據李志鐘一九八五年的統計，美國資訊服務中
心所含的資料庫 (即為 DIALOG、 ORBIT、 BRS) 數量
如下❹：

	DIALOG	ORBIT	BRS
科　　技	75	41	28
社會科學	67	11	41
人文科學	6	0	2
綜　　合	41	11	13
總　　計	189	63	84

資料庫的類型 ❺

一、參考性資料庫

　　㈠書目性資料庫 (Bibliographic Database) 涵蓋圖書、
　　　期刊、專論、技術報告之書目資料及摘要。

　　㈡轉介性資料庫 (Referral Database) 提供非印刷品
　　　資源的來源。如：組織單位、專家學者名錄

及視聽資料等。

二、內容性資料庫

　㈠數據性資料庫 (Numeric Database) 通常是一些統計資料。

　㈡屬性資料庫 (Property Database) 即指有關化學或物理特性之字典、手冊。

　㈢全文資料庫：包括書籍、新聞、規格或法庭之判決等等等資料庫的類型。

各種資料庫的簡介

一、書目性資料庫

　　　因應各個圖書館書目管理的需要所發展的圖書資料供應中心。提供此種資料庫的有：

　㈠線上電腦圖書館中心，即 OCLC (Online Computer Library Center)。

　㈡研究圖書館資訊網，即 RLIN (Research Libraries Information Network) 原名為 BALLOTS (Bibliographic Automation of Large Library Operations Using a Time-Sharing System)

　㈢西部圖書館資訊網，即 WLN(Western Libraries

Network)以上這些資料供應組織，也稱為資訊網，所提供的服務以協助編目為目的，做為書目控制用，是對書和期刊作整體書目分析，而非對其中每篇文獻做分析。

二、政府資料庫即由政府製作

ERIC：由 Education Resource Information Center
(美國教育資源資訊中心)製作。

AGRICOLA：由 National Agricultural Library
(美國國家農業圖書館)製作。

MEDLINE：由 National Library of Medicine
(美國國家醫藥圖書館)製作。

GPO Monthly Catalog (政府出版品月報)：
由 US Government Printing Office (美國政府印刷處)製作。

三、由商業社團所製作的資料庫：

METADEX World Aluminum Abstracts：
由 American Society for Metals(美國金屬學會)製作。

Psyclit：由 American Psychological Association
(美國心理協會)製作。

INSPEC：由 Institute of Electrical Engineers 製作

四、由私人公司製作之資料庫：

Prompt F&S Indexes：由 Predicasts Producer 製作

ABI/Inform Pharmaceutical News：由 Data Courier 製作

ABO-Clio：American History & Life Art Bibliographies 製作

五、資訊服務中心製作之資料庫

英　　國：BLAISE, Data-Star, Pergamon Infoline

法　　國：Questel

德　　國：Dimdi. INKA

義大利：ESA Information Retrieval Services (ESA － IRS)

美　　國：BRS (Bibliographic Retrieval Services), DIA-LOG, National Library of Medicine (NLM) 的 MEDLINE,以及

SDC (System Development Corporation) 的 ORBIT (Online Retrival of Bibliographic Information Time-shared) 等。

國外的資料庫從一九八四年至今，著名者

是：㈠ BIOSIS PREVIEW(生物科學) ㈡ CA
SEARCH(化學摘要) ㈢ COMPENPEX(工程) ㈣
ERIC(教育研究) ㈤ INSPEC(物理／計算機控制)
㈥ MEDLINE(醫學) ㈦ NTIS 美國國家科技研究報
告)。

美國線上資料庫系統簡介

一、DIALOG 是由美國羅克希德 (Rockheed) 太空飛彈
　　公司於一九六九年領先建立的，是第一個大型
　　線上檢索系統。

二、ORBIT 是由系統發展公司 (SDC) 根據美國國家醫
　　學圖書館發展一套檢索醫學文獻，即 MEDLAR
　　於一九七三年公開提供。

三、BRS 由書目檢索服務公司 (Bibliographic Retrieval
　　Services) 於一九七六年成立。

四、Info line (Pergamon International Information Corp) 共
　　有十六個資料庫，由其本身發展而成，包括
　　Geomechanics Abstract. Patsearch 等。

五、The Source 由附屬於 Reader's Digest Association 之

Source Telecomputing Corporation 所建立，於一九七九年啓用。主要內容有七項：

㈠新聞及參考資料

㈡商業／財經市場

㈢目錄一覽表

㈣家庭與休閒

㈤教育與職業

㈥郵遞與傳播

㈦建檔與計算處理

　　此系統所提供之服務包括電子郵件、時刻表、股票市場、購物、酒類等資訊還有輔助教學及紐約時報之新聞摘要等。

　　美國其他的資訊服務有 Compuserve Information Service、Dow Jones News/Retrieval、IP Sharp、Sharp's MAGIC system。

歐洲線上資料庫簡介

　　歐洲線上資料庫，其檢索系統為 Data Star，此資料庫成立於一九八一年，由瑞士 Radio Suisse 公司所提供之線上服務，D-S Marketing Limited 負責行銷。目

前共有二十多個資料庫，內容以醫學、化學、工程及科學為主，為檢索歐洲資料之重要來源。

國內資料庫簡介

一、國家圖書館資訊服務系統

　　㈠書目查詢系統：

　　　有國家書目資料，期刊論文和政府公報索引、中文善本書目資料、中文期刊聯合目錄、西文人文及社會科學聯合目錄資料。

　　㈡國際百科檢索服務：

　　　1. DIALOG 含化學、人文科學、材料科學、能源、環境、商業、經濟、醫學、電腦等二百個不同主題之資料庫。

　　　2. SDC 含法律、科技資料、新聞學、市場、廣告學、會計、財政、金融……等。

二、資訊圖書館線上資料庫檢索服務

　　有 DIALOG、 NewsNet 及歐洲 Data-Star，共有七百多種資料庫，除此之外，與國家圖書館連線，可檢索其所建圖書、期刊、論文、政府公報之資料庫。光碟檢索方面有㈠ PC-SIG Library：為

一萬餘種個人電腦使用之軟體程式。㈡Compu-
Info：收錄全世界一千五百家電腦廠商及產品資
訊。㈢Software-CDtm：為軟體名稱資料庫。㈣
Bitnet：為學術機構網路，包括全球六十多個國
家研究機構及美國各大學之研究計畫。

三、中央研究院中文資料庫

　㈠專業性方面：

　　1. 漢代墓葬資料處理系統：共有三千零四十
　　　個漢代古墓的記錄、報告資料，可做查詢
　　　和計算。

　　2. 戶籍資料處理系統：分日據時代及民國時
　　　代資料，戶籍資料共一萬八千筆、個人資
　　　料二十萬筆、事件資料二十萬筆。

　　3. 臺灣土著語言資料庫：此系統目前僅止於
　　　資料整理之運用。

　　4. 土地申告書資料庫：約二十五萬筆資料，
　　　現在正還在發展當中。

　　5. 清代內閣大庫索引：共二十萬筆資料，每
　　　筆有九項資料，乃一單純的索引。

　㈡一般性方面：

1. 臺灣博、碩士論文資料庫：收錄了一九七四年到一九八五年的二萬三千一百一十一筆論文資料。

2. 中研院人員著作資料庫：已登錄六千五百三十筆資料，仍在更新中。

3. 電子辭典、約四萬個目詞，為一全文資料庫，以國語日報辭典為主。

4. 二十五史全文資料庫：目前有史記、漢書、後漢書、三國志、二十四史食貨誌等共七百萬字。

5. 電子卡系資料庫：沒有固定資料，處理使用者私人的卡片檔案。

四、國科會 STICNET ——科技資訊網：

(一)國內資料庫：

1. 國科會研究獎助論文摘要。

2. 國科會研究計劃報告。

3. 全國西文科技期刊聯合目錄。

4. 全國西文科技圖書聯合目錄。

5. 中華民國科技期刊論文。

6. 進行中科技研究計劃摘要。

7. 中華民國科技研究報告摘要。

8. 科技簡訊與政策報導資料庫。

(二)國外資料庫(一九八四年～)：

1. BIOSIS PREVIEW(生物科學)。

2. CA SEARCH(化學摘要)。

3. COMPENDEX(工程)。

4. ERIC(教育研究)。

5. INSPEC(物理／計算機控制)。

6. MEDLINE(醫學)。

7. NTIS(美國國家科技研究報告)。

資料庫檢索資訊之優缺點

線上資料庫檢索資訊之優點

一、快速：較用人工檢索，更加快速。

二、彈性：因檢索點較紙本式多，比較能找到更適
合的資料。檢索點包括語文、代號、出版品種
類、著者服務機關、出版品之國家等。

三、涵蓋廣泛：圖書館無需提供很大的空間去儲存
很多利用之資料，由線上資料庫可隨時檢索到
所需資料。

四、新穎性：機讀式之索引通常是每日、每週或每月更新，較印刷形式索引更新穎。

五、方便性：使用者有電話及電源即可處理。

六、成本低，效益高。

七、給予專業圖書館員較多工作上的成就感。

線上資料庫檢索資訊之缺點

一、舊資料之限制：一九七〇年以前資料，不易檢索到。

二、人文科學資料不夠。

三、機具之故障。

四、收費之困擾。

資料庫之發展

一、使用者之增加

人們將逐漸了解到這種智力的資本 (Intellectual Capital) 可供使用。

二、直接使用之增加

雖然受過訓練的館員使用得較有績效，比一般讀者多二十倍，但今後指令及檢索方式會簡化更便於讀者之自行檢索。

三、逐漸經濟化

　　㈠收費制度之改善，由每小時計費，逐漸改為以分鐘計費。

　　㈡有些資料庫之磁帶，可以廉價出售。

　　㈢可將所檢索之資料，以合法方式傾錄 (Download)，到自己電腦中，便於使用。

　　㈣小型資料庫之增加，以應較明確及更切題之需求。

　　㈤綜合性，可同時檢索一個網路以上之資料。

　　㈥資訊服務公司之合作，可利用到其他公司的資料。

四、設備之方便化

　　㈠可利用家庭之電視機為終端機。

　　㈡CD-ROM 光碟之利用。

五、資料庫內容之改變

　　除了書目資料庫，數據資料庫，及全文資料庫外，尚有圖表及影像資料庫。

六、作業之標準化

　　㈠開始 (Log on) 及停止 (Log off) 指令之標準化。

　　㈡終端機按鍵功能之標準化。

　　㈢標準化中斷 (Break) 功能。

㈣控制字彙檢索標準化。

㈤切截 (Truncation) 及代號標準化。

㈥引述格式之標準化。

㈦全文資料庫操作鍵之標準化。

註 釋

❶J. W. Rayleigh, *Report of the 54th Meeting of the British Association for the Advancement of Science.* Montreal, Aug-Sept. 1884, (London: John Murray, 1885), p.20.

❷James L. Hall, *Online Biblirgraphic Databases,* (London: Aslib, 1986), p.53.

❸Martha Williams ed., *Computer-Readable Databases.* (Chicago: ALA, 1984 ～ 85) p. vii

❹Tze-chung Li, *An Introduction to On-line Searching,* (Westport, Conn.: Greenwood Press, 1985), p.48.

❺Charles T. Meadow and Pauline A. Cochrane, *Basics of Online Searching,* (New York: John Wiley & Sons, 1981), pp.58 ～ 61.

參考資料

王孟雪，「美國國家醫學圖書館 MEDLARS 系統資料庫及 MEDLARS, MEDLINE 檢索方式」，中國圖書館學會會報 42 期 (民 77 年 6 月): 頁 81 ～ 93。

行政院農業發展委員會農業科學資料服務中心編，農業科技資訊服務系統，(台北：該中心，民國77年)。

淡江大學圖書館編，DOBIS/LIBIS/TALIS淡江圖書館自動化系統，(台北：該館，民國77年)。

黃鴻珠，邁入線上公用目錄的里程－淡江大學圖書館的經驗，(民國77年)。

國立中央圖書館編，國立中央圖書館資訊服務系統，(台北：該館，民國75年)。

國家科學委員會科技資料中心，科技性全國資訊網路之規劃及服務功能，(民國76年)。

鄭麗敏，「淡江大學發展DOBIS/LIBIS/TALIS之經驗」，教育資料與圖書館學　25卷4期(民77年6月)：1～2。

謝清俊，「論漢學研究用中文資料庫的開發」，漢學研究資源國際研討會論文，(台北：國立中央圖書館，民國77年11月30日～12月3日)。

顧敏，「立法索引詞彙簡介」，中國圖書館學會會務通訊62期 (民77年6月)：114～115。

顧敏，「立法院圖書資訊服務」，研考月刊139期 (民77年9月)：31～40。

Chou, Nancy Ou-lan,"The National Bibliographic Database and Its Network Development," Paper Presented at Seminar on Library Automation and Information Neworks, Taipei, Taiwan, (June 9 ～ 10, 1988).

Deen, S.M. and P. Hammersley. *Databases.* (New York: John Wiley & Sons, 1981).

Goossens, Paula, *Database Management Systems:* Library Systems Seminar. (Brussels, Oct. 14 ～ 11, 1981).

Hall, J. L. *On-line Information Retrieval Sourcebook.* (London: Aslib, 1977).

Hoover, Ryan E. *The Library and Information Manager's Guide to Online Services,* (White Plains, New York: Knowledge Industry Publications, 1980).

Li, Tze-chung, *An Introduction of Online Searching.* (Westport, Conn.: Greenwood Press, 1985).

Meadow, Charles T. and Pauline A. Cochrane. *Basics of Online Searching,* (New York: John Wiley & Sons, 1981).

Rayleigh, J. W. *Report of the 54th Meeting of the British Association for the Advancement of Science,* (Montreal, August-

September 1884. London: John Murray, 1885).

Williams, Martha, ed., *Computer Readable Database : A Directory of Database,* (Washington D.C.: Knowledge Industry Publication for ASIS, 1984 ～ 1985).

Library Laws of The Republic of China On Taiwan

INTRODUCTION

In the Republic of China on Taiwan, ever since the implementation of the National Cultural Development Program in 1977, both the central/local governments and the private sectors have established many public libraries including provincial, city, county/town libraries and cultural center libraries. In the past two decades, college, university, school and special libraries in Taiwan have also been greatly increased in quantity. According to a recent survey, there are now 3,329 libraries (excluding branch libraries and some temple libraries) occupying 202,155.13 square meters, with a collection of 56,086,891 books, 379,473 periodical titles and 8,345 librarians❶. To meet the varigated demands of the information age, libraries are individually and cooperatively striving to upgrade services, enrich collections, promote library automation, and improve library facilities.

Under such circustances, more than ever, libraries in Taiwan are in urgent need of library laws and standards which are instrumental to the the establishment, development and subsequent successful operations of libraries. Not only do library laws provide the guidelines for library operations /library cooperation; but also set the goals toward which libraries strive.

HISTORICAL BACKGROUND

The origin of Chinese library laws and regulations can be traced back to the 19-article General Library Regulations announced by the Department of Education of the Ching Dynasty in 1909❷. This set of regulations aimed at stipulating the objectives of and functions of libraries. In 1915, shortly after the founding of the Republic, the Ministry of Education proclaimed 11 articles for popular libraries ordering each magistrate to establish a popular library and to collect popular books for public reading with the objectives of raising the educational level of the people and of upgrading culture as a whole by establishing libraries throughout the nation❸.

After the nationalist government moved to Taipei, public libraries were established in accordance with the following various laws and regulations❹:

Social Education Laws (announced in September of 1953 and revised in October, 1980);

Regulations for Provincial and Municipal Libraries (announced by the Ministry of Education on November 17, 1969);

Regulations for the Establishment and Encouragement of Privately-Owned Social Educational Institutions (proclaimed on Feburary 8, 1973 and revised on September 9, 1982 by the Ministry of Education);

Organizational Stipulations for the Taiwan County and Municipal Libraries in Taiwan (proclaimed by the Taiwan Provincial Government of Taiwan Province on August 27, 1977);

Organizational Stipulations for Village /Towns /Magistrate Libraries in Taiwan (proclaimed by the Taiwan Provincial Government on April 3, 1980);

The legal foundation for provincial libraries and national libraries were founded on their respective organizational regulations. University and college libraries are established in accordance with University Laws and Regulations. High school libraries are established according to the stipulations of High School Facilities❺.

There was never a set of integrated library laws for all types of libraries endorsed by a Chinese government agency until June 29, 1994 on which date the Ministry of Education approved the draft of the 28-article Library Laws and submitted the draft to the Executive Yuan for discussion and approval. Should they be approved, this set of laws will then be submitted for approval and proclamation by the Legislative Yuan.

THE INITIAL EFFORTS

Being a bona fide professional body, the Library Association of China takes the development of standards and laws as one of its chief missions. On December 11, 1966, at the 14th Annual Convention, the Association discussed the issue of Chinese Library laws and resolved to draft a set of library laws for the purpose of strengthening the foundation of our profession❻.

On December 2, 1973, when the Association convened its 21st Annual Convention, a similar proposal was again proposed and the Library Association was asked to immediately formulate library laws for the strengthening of the status of librarianship. Suggestion was also made for the Association to establish a Committee on Library Law Development for the purpose of drafting such a set of laws❼.

On December 29, 1973, the Association took immediate action and appointed Dr. Jih-juang Yang, Director of National Taiwan University Library, a known scholar in the field of law, to head the Library Laws Committee to be responsible for drafting such a set of laws. After numerous discussions, the draft was drawn and presented to the Association's Annual convention in 1975. The Library Association took the matter very seriously by discussing it with MOE officers on January 26, 1976. MOE Officers' recommendations were incorporated in the finished draft which was published in its newsletter soliciting opinions from its members❽. At the time when KMT (Nationalist Party) convened its general assembly asking for innovative ideas for reform in 1979, the Library Association again requested the government to pay attention to Library laws and library standards for various types of libraries❾. During the period of 1974-1980, continuous discussions were conducted, but no consenuses were reached until 1983.

LIBRARY LAWMAKING PROCESS

After continuous reactions and proposals made by the Library Association and by its members, the Executive Yuan (the Cabinet) finally asked its Cultural Development Council and Ministry of Education to seriously consider the formulation of library laws through its official Program for the Enhancement of Cultural, Athletic and Leisure Activities on July 30, 1983❿. Attention to the formulation of library laws was again called for by Professsor Cheng-ku Wang in his study on the system of library management⓫, and by Senator Yu-hsin Chien's recommendations. With all these blessings, the Committee on Library Laws and Regulations of the Library Association started the actual drafting for three years and finally came up with 16 articles and a General statement.

They were submitted to the Ministry of Education on September 21, 1987 for comments. Based on MOE's suggestions, the Library Association again made additional revisions and submitted the draft for second time on October 12, 1988⓬. However, it was set aside until 1989.

At the recommendation of The 1989 Nationwide Library Conference, a Committee on Librarianship was formed by the Ministry of Education to discuss library-related issues and policies. At one of its meetings on December 29, 1989, the Committee reached a resolution to study and draft Library laws. On April 27 of the subsequent year, it again resolved to ask the Library Association to form a task force for the evaluation and editing of the library law draft❸. On July 21, 1990, the Library Association again formed a committee to review the draft. After numerous meetings, the drafted laws, consisting of five chapters and thirty four articles, were presented to the Legal Committee of the MOE. On June 4, 1993, MOE called another public hearing session on the draft, communicated directly with librarians, and decided that additional revisions be made accordingly❹. The draft finally was revised into 28 articles and approved by the MOE on June 29, 1994 after years of hard work❺.

THE CONTENT OF CHINESE LIBRARY LAWS

The first six articles of the Library Laws stipulate the objectives of the law, define different terms and categorize different types of libraries. Libraries are categorized into five different types - national libraries, public libraries (including cultural center libraries), college and university libraries, and special libraries. The missions of these five different types of libraries are derived from the different services required by their respective different patrons.

Articles 7 and 8 stipulate regulations regarding the establishment of libraries and the procedures to be observed for their management. In addition to regulations regarding the inauguration, changes, termination, and overseeing bodies of these five types of libraries, the Library laws also stipulate the standards for each type of library to meet at their establishment.

Articles 9 to 17 state the requirements pertaining to library infrastructure, personnel, and expenditure/funding. The Library director or Chief librarian is charged with the responsibility of overseeing the library operations. Professional librarians are ranked into five different levels, i.e. Research Librarian, Associate Research Librarian, Assistant Research Librarian, and Library Assistant. These librarians can be hired by invitations, not necessarily by examinations given to government employees by the Examination Yuan.

The government is allowed to set up a library development fund to assist the establishment of libraries. In order to encourage and solicit support given to libraries, private entities or individuals' donations to libraries are tax free.

Articles 18 to 20 formulate systems regarding library management and library cooperation. A National Committee on Librarianship should be organized by the central government in order to develop librarianship on a nationwide scale. Different types of libraries can form cooperative organizations in order to share information resources through information networking systems, interchange, transfer, and interlibrary loan of various library collections. In addition to the allowance made to loss of books caused by various reasons, requirements for evaluation are also stipulated.

Articles 21 to 26 state all regulations regarding the strengthening of the functions of national libraries. The national libraries are officially charged with the responsibility of collecting publications published by government agencies and private sectors. National libraries are also designated as the depositary libraries of all publications in the country. They are charged with custodial responsibility of old books/ documents of historical value. They also serve as the the centers of national bibliographic control providing ISBN and bibliographical information services.

CONCLUSION

The Taiwan Miracle or the Taiwan Experience has been known as a synonymy for the rapid development and progress made in Republic of China on Taiwan. Liberalization, democratization and internationalization are the directions that the government and the people are heading. Cultural development and the development of information services are the pivotal projects promoted by the public and private sectors throughout the nation. Being one of the key components of cultural activities and information services, libraries are striving for the improvements of services through cooperative efforts and the effective use of modern technology.

Needed as a foundation of adequate and efficient library/information services, library laws are indeed timely drafted. However, they need to go through the reviewing process at the Executive Yuan and lawmaking process at the Legislative Yuan. With the uncertainty of the supervisory agency of the cultural center libraries, it might halt the review of the library laws at the Executive Yuan for some time.

Again, with the numerous unreviewed drafts of laws kept at the Legislative Yuan, we really are not that optimistic as far as the timely proclamation of this set of library laws is concerned.

It might take the Legislators several more years to make the official proclamation. As we all know, standards and laws are usually constrained by time and space. Each country should have different standards or laws according to the needs of the community. Environmental impacts demand timely revisions of laws and standards. Should this set of Chinese library laws be halted again at the reviewing agencies, their contents might have to be revised again. It is therefore the ardent hope of the professionals in the library and information arena that this set of library laws can be processed as soon as possible by both the Executive Yuan and the Legislative Yuan, so that timely implementation can play an important role in the rapid advancement of cultural development and information services in the country.

Notes

❶ 國立中央圖書館編，"台閩地區圖書館統計"，國立中央圖書館館刊，第28卷 第4期(民國83年12月)：3-35。

❷ 嚴文郁，中國圖書館發展史，(台北：中國圖書館學會，民國72年)：頁26-63。

❸ 同上註，頁63-64。

❹ 社會教育法，(民國42年9月總統公佈69年10月修訂)；教育部，各省市之圖書館規程(台北：該部，民國58年)；教育部，設立社會教育機構規程，(台北：該部，民62年2月)；台灣省政府，台灣省各縣市圖書館組織規程，(南投：台灣省政府，民國66年)；台灣省政府，台灣各鄉鎮(縣轄市)圖書館組織章程，(南投：台灣省政府，民66年2月)。

❺ 大學法、大學規程、高級中學法、國民中學法。

❻ 中國圖書館學會編，中國圖書館學會會報 第19期(民56年12月)：31-32。

❼ 中國圖書館學會三十週年會慶籌備委員會 中國圖書館學會三十年大事日誌，(台北：該會，民國72年)：頁37。

❽ 同上註，pp.49; 57。

❾ 國立中央圖書館，中華民國圖書館年鑑，(台北：該館，

民國 70 年），頁 343。

❿ 行政院，加強文化及育樂活動方案 (台北：行政院，民國 72 年 7 月 30)：頁 19。

⓫ 王振鵠，建立國書館管理制度之研究 (台北：行政院研究考核委員會，民國 74 年)：頁 132～135。

⓬ 教育部，圖書館法草案 (台北：該部，民國 83 年)，p.2。

⓭ 汪雁秋、曾淑賢，「四十年來的中國圖書館學會」中國圖書館學會會報　第 51 期 (民國 82 年 12 月)：10。

⓮ 簡耀東，"如何推動我國「圖書館法」之法"，當代圖書館事業論集 (台北：正中書局，民國 83 年)：頁 237。

⓯ 王振鵠，"圖書館界對圖書館法的期許"，中央日報 (民國 83 年 7 月 3 日)；教育部，圖書館法草案 (台北：該部，民國 83 年)。

本文曾刊於資訊傳播與圖書館第 1 卷第 3 期 (民國 84 年 3 月):20～25。

國家圖書館組織條例初探

前言

　　國家圖書館原名國立中央圖書館成立於民國廿二年四月廿一日，至今年已有六十三年光榮的歷史。在徵集典藏全國國家圖書文獻，保存文化、宏揚學術研究、輔導全國圖書館之發展，以及提供圖書資訊服務方面都有顯著的績效。今年初在立法院審查其組織條例時，正式更名為國家圖書館，除了祝賀該館成立六十三週年慶以外，亦應國家圖書館館刊之邀就國家圖書館的位階與體制作一粗淺的探討。

組織條例修正之過程與結果

　　國立中央圖書館自民國廿二年成立以來，於民國廿九年十月十六日公佈其組織條例後，到民國三十四年十月廿七日予以修正。經過了四十六年，終於在八十年十月六日再次提出組織條例修正案，經立法院法制及教育委員會加以審查。當時立法委員們重視國立中央圖書館服務品質之提昇，以及未來業務之發展，作以下重點修正❶：

一、提昇其組織架構改隸於行政院，並要求其對各
　　級圖書館有監督和輔導的責任。

二、增設業務單位 —— 參考組及資訊組，輔導組和研
　　究組。

三、增設副館長暨主任秘書。

四、擴充員額並提高各職稱人員之職等。

　　今年元月立法院通過的國家圖書館組織條例，
　　經總統於元月三十一日正式明令公佈。除更改
　　館名外，改變了上一屆立法委員委員會的建議，
　　而作以下的修改❷：

一、將隸屬機關改為教育部，刪除監督功能。

二、將館長「特任」等級刪除，改列簡任十三職等，
　　或必要時比照專科以上學校校長之資格聘任，
　　並減少員額。

三、內部單位雖然較民國三十四年的組織條例增加
　　了組別，但員額則未作適當的調整。

　　茲就國家圖書館組織條例與上一屆立法委員提
議修正的重要條文比較如下：

國 家 圖 書 館 組 織 條 例	上 屆 委 員 提 議 修 正 之 條 文
第一條　國家圖書館（以下簡稱本館）	第一條　國立中央圖書館（以下簡稱本

隸屬於教育部，掌理關於圖書資料之蒐集、編藏、考訂、參考、閱覽、出版品國際交換、全國圖書館事業之研究發展與輔導等事宜。

館）隸屬於行政院，掌理關於圖書資料之蒐集、編藏、考訂、參考、閱覽、出版品國際交換、全國圖書館事業之研究、發展及各級圖書館之監督與輔導事宜。

＊比較分析：㈠館稱不同：原名為國立中央圖書館，現改為國家圖書館。

　　　　　　㈡隸屬單位：原擬改為行政院所隸屬，現仍改回由教育部所管轄。

　　　　　　㈢監督功能：原來該館對各級圖書館有監督一責，現條文將監督功能取消。

第二條　本館設左列各組，分別掌理有關事項：

　一、採訪組：圖書資料之徵集、選購及登錄等事項。

　二、編目組：圖書資料之分類及編目事項。

　三、閱覽組：圖書資料之典藏、閱覽推廣服務等事項。

　四、參考組：參考諮詢之專題目錄索引編製等事項。

　五、特藏組：珍善圖書文獻及金石拓片之編藏、考訂等事項。

　六、資訊組：自動化作業及資訊服務等事項。

　七、輔導組：調查統計、各圖書館之

第二條　本館設左列各組，分別掌理有關事項：

　一、採訪組：圖書資料之徵集、選購及登錄等事項。

　二、編目組：圖書資料之分類及編目事項。

　三、閱覽組：圖書資料之典藏、閱覽推廣服務等事項。

　四、參考組：參考諮詢之專題目錄索引編製等事項。

　五、特藏組：珍善圖書文獻及金石拓片之編藏、考訂等事項。

　六、資訊組：自動化作業及資訊服務等事項。

　七。輔導組：調查統計、各級圖書館

輔導及圖書館專業人員訓練等事項。	之監督輔導及圖書館專業人員訓練等事項。
八、研究組：全國圖書館事業及各項規範標準之規劃、研訂與推廣等事項。	八、研究組：全國圖書館事業及各項規範標準之規劃、研訂與推廣等事項。
九、總務組：文書、庶務、出納、營繕及不屬於其他單位事項。	九、總務組：文書、庶務、出納、營繕及不屬於其他單位事項。

＊比較分析：第二條兩屆委員意見相同。

| 第三條　本館置館長一人，綜理館務並指揮監督所屬機構及職員，職務列簡任第十三職等，必要時得依教育人員任用條例比照專科以上學校校長之資格聘任；副館長一人，襄助館務，職務列簡任第十一職等，必要時得由編纂兼任。 | 第三條　本館置館長一人，特任，綜理館務；副館長二人，其中一人職務比照簡任第十四職等，一人職務列簡任第十三職等，襄助館長處理館務。 |

＊比較分析：㈠兩條文皆置館長一人，其職責為綜理館務。不同的是，現條文明訂館長對所屬機構及職員有指揮監督之責，且職務規定為簡任第十三職等；而上屆立委修正的條文，館長是特任的，沒有明文規定指揮監督所屬機構及職員之責任。而現在的組織條例規定，必要時得比照專科以上學校校長之資格聘任。

㈡上屆立委修正條文為 "設副館長二人，其中一人職務比照簡任第十四職等，一人職務列簡任第十三職等，襄助館長處理館務 "，現在的組織條例將副館長由原來二人減少為一人，其職務亦由第

十三職等降爲第十一職等。

第四條　本館置組主任九人，職務列薦任第九職等至簡任第十職等；除總務組主任外，其餘職務必要時得由編纂兼任；秘書一人，技正一人，分析師一人，職務均列薦任第八職等至第九職等；設計師二人至四人，管理師二人至三人，職務均列薦任第六職等至第八職等；技士六人至八人，組員二十八人至三十八人，職務均列委任第四職等至第五職等，其中技士二人，組員十二人得列薦任第六職等至第七職等；技佐四人至六人，助理設計師二人至四人，助理管理師二人至三人，職務均列委任第三職等至第五職等；書記十六人至二十六人，職務列委任第一職等至第三職等。

　　本條例修正施行前僱用之現職僱員，其未具公務人員任用資格者，得占用書記職缺，繼續僱用至離職時爲止。

　　本館置編纂七人至十五人；編審六人至十人；編輯三十四人至四十人；助理編輯十三人至十七人；均依教育人員任用條例規定聘任。

第四條　本館置主任秘書一人，組主任九人，職務列簡任第十職等至第十二職等；除總務組主任外，其餘職務必要時得依教育人員任用條例比照教授資格聘任；秘書二人，職務列薦任第八職等至第九職等，其中一人得列簡任第十職等；分析師二人，職務列薦任第八職等至第九職等；設計師四人至六人，管理師二人至四人，職務均列薦任第六職等至第八職等；助理設計師四人至六人、助理管理師二人至四人，職務均列委任第三職等至第五職等；技士三人，職務列薦任第六職等至第七職等；技術員十二至十六人，組員四十三人至六十三人，職務均列委任第四職等至第五職等，其中組員十六人得列薦任第六職等至第七職等；僱員四十至五十人。

　　本館置編纂七人至十五人；編審六人至十人；編輯十八人至三十二人；助理編輯十人至十二人；均依教育人員任用條例規定聘任。

*比較分析：㈠原修正修文置主任秘書一人而如今國家圖書館沒有設該職位。

㈡組主任皆設爲九人，但職等由原來的第十至第十二職等降爲第九至第十職等。

㈢任用組主任原修正條文是比照教授資格聘任，而現條文是由編纂兼任，即可依教育人員任用條例聘任。

㈣秘書原由二人減爲一人，原修正條文規定秘書職等：一人爲第八至第九等，另一人爲簡任第十等；現修文爲第八至第九等。

㈤原修正條文尚無設置「技正」，現條文設置一人。

㈥分析師由二人減爲一人

㈦設計師原上限爲六人，下限爲四人；現上限爲四人，下限爲二人。因此上限與下限皆減少了二人。

㈧管理師原上限爲四人，下限爲二人；現上限爲三人，下限爲二人。因此上限減少一人，下限沒變。

㈨助理設計師原上限爲六人，下限爲四人；現上限爲四人，下限爲二人。因此上限與上限皆減少二人。

㈩助理管理師原上限爲四人，下限爲二人；現上限爲三人，下限爲二人。因此上限減少一人，下限沒變。

(十一)技士原設爲三人，現設爲六至八人，增加三至五人。職等原規定爲第六至第七等，現條文規定其中二人職等爲第六至第七職等。

(十二)技佐：原修正條文未設該職，現條文設該職，並設四人至六人。

(十三)原修正條文設有雇員四十至五十人，現條文刪除雇員一職，而另置書記十六至二十六人。現修文規定在本條例施行前僱用之現職雇員，得占用書記職缺。

(十四)原修正條文設有技術員一職，其人數爲十二人至十六人；而現條文沒有此職稱。

(十五)原組員爲上限爲四十三人，下限爲六十三人；現上限爲二十八人，下限爲三十八人。因此上限減爲十五人，下限減爲二十五人。

原修正條文的職等規定爲第四至第五等，其中組員六人得列薦第六至第七職等；現修文規定其中十二人列薦任第六至第七職等。由此可知，組員增加六人，得列薦任第六至第七職等。

㈥編纂皆設七人至十五人；編審皆設六至十人。編輯原上限爲三十二人，下限爲十八人；現上限爲四十人，下限爲三四人。因此上限增加八人，下限增加十六人。助理編輯原上限爲十二人，下限爲十人；現上限爲十七人，下限爲十三人。因此上限增加五人，下限增加爲三人。

㈦就職務而言，雇員改爲書記，技術員去之，都符合現在人事行政有關的法令。編纂、編審、編輯依教育人員任用條例聘用，亦可網羅人才，但組主任全部由編纂或編輯兼，是值得愼思的問題。

第七條　本館設政風室，置主任一人，職務列薦任第九職等，依法辦理政風事項。

*比較分析：㈠現條文新增政風室，因立委原修正條文時尙無設置政風室之要求。
　　　　　㈡原第七條，更爲第八條，其餘類推。

第十條　本館設出版品國際交換處，置處主任一人，由編纂兼任，辦理出版品國際交換事宜，其辦法由本館擬訂，報請教育部核轉行政院核定。 　　出版品國際交換處所需工作人員，就本條例所訂員額派充之。	第九條　本館設國際交換處，置處主任一人，職務列簡任第十職等至第十二職等，或由編纂兼任，辦理出版品國際交換事宜，其交換辦法由本館擬訂，報請行政院核定。 　　國際交換處所需工作人員就本條例所訂員額派充之。

*比較分析：㈠現條文設出版品國際交換處，上屆立委修正之條文亦設該處，但沒有"出版品"三字。

㈡上屆立委修正條文規定處主任職等"簡任第職十等至第十二職等"，或由編纂兼任，現條文沒有規定職等，指明由編纂兼任。

　　整個員額由二三五名，減少到一八六名，以國家圖書館的功能為二千一百萬同胞服務而言，僅有一八六名工作人員，人員配備之少確令人驚訝。全館只有一位副館長，一位祕書，沒設祕書室及其主任。館長既然是校長等級，也應比照學校組織有祕書室，僅設一祕書，如何發揮幕僚作用？

更名的聯帶問題

一、國際空間的問題

　　改一個機關的程序非常複雜，原名涉及法律的契約文件勢必一一重新認定，所費的經費姑且不予計算，為了反對中央集權的意思，而將沿用一甲子的名稱「國立中央圖書館」改為國家圖書館，將「National」由「國立」改成「國家」，把中央去掉，可能營造了該館在國際上、交換上與合作上的困難。國立中央圖書館自民國二十三年七月一日奉教育部令，接辦出版品國際交換業務❸，開始就與其他國家各種機構有密切的關係，合作合約都以 National

Central Library 來訂的。我國許多參與的國際活動常因中共的干涉而受到排斥，多年來中共向國際社會施壓，我國加入國際社團的名稱連國立 National 都不能冠，以往有個〝中央〞兩字，取掉國立兩字尚可以被我國勉強接受。但現在國家圖書館要譯成英文，則一定要註明是那一個國家的國家圖書館，才有意義。

在此國際政治氣候下，我們稱它為 National Library of the Republic of China，一定會遭受到中共的打壓，而排除於國際社會之外。經過我們多年來努力參與的國際活動可能因此被拒之門外。國際組織可能把「台灣」放進去 National Library of Taiwan，我國是絕對不能接受這樣的名稱。所幸曾館長的機智，請求教育部准予沿用 National Central Library 之英文名，這是智慧權宜之舉，可以繼續國際合作活動及空間，但中英不對稱也有違常規。

二、分館名稱的問題

母機關名稱改了，立法當時對子機關的名稱並未作處理。而在民國八十五年四月三十日立法院通過將國立中央圖書館台灣分館改為國立台灣圖書館。

原來在大陸有很多國立圖書館，如國立北平圖書館，國立蘭州圖書館等等。看樣子等國家統一後，這些圖書館仍舊會照原名，不會改為國家圖書館北平分館、國家圖書館蘭州分館等等。現在的國家圖書館則仍應為國家的第一大館居重要地位。我國一向在標榜重視文化教育，圖書館地位應該這很崇高的，而在體系隸屬的層面，實質上並未能予以充份重視。中央圖書館現在改成國家圖書館，地位不能與故宮博物院平行，更談不到和國史館平行，位階不夠高，發揮作用也不會高是可預期的。

結語

　　組織條例之草案，曾館長濟羣、楊館長崇森、王館長振鵠都盡了最大的力量，但立法院在未作深入了解及和楊館長崇森全面檢討的情況下，修改一讀通過的案子。如今雖改成崇高的名稱，但在位階上名不符實，工作人力上未予加強，相關的問題未予考慮，的確令人遺憾的。寄望不久能有所突破，再次提昇其位階，擴充其員額，使國家圖書館能名符其實，充分發揮並達成創館館長所期盼的功能：一、國家圖書館應依出版法，永久典藏全國圖書出

版品，成為國家文化中心。

二、透過國際出版品之交換，成為宇宙知識之中心。

三、收集世界各國重要圖集，成為學術研究中心❹。

附 註

❶國立中央圖書館館訊，第18卷 第1期(民國85年2月)：
2。

❷同上註， 5。

❸國立中央圖書館六十年大事記初稿，(台北市：國立中
央圖書館，民82年)，頁3。

❹蔣復璁：「國立中央圖書館之意義與回顧」，大陸雜誌，
第56卷，(民國67年)：5～52。

本文刊於＜國家圖書館館刊＞，第1卷（民國85年6月）：15～
24

附　　錄

國際家庭年談女性與家庭

前言

為了增進社會的安祥和諧、奠定國家穩定基礎及促進世界和平，聯合國訂 1994 年為國際家庭年，喚起各國對家庭的重視。本文首先敘述國際家庭年的由來、目的與意義，闡釋家庭的定義、類型與功能，說明我國婦女在家庭中所扮演的角色，並以統計數字說明現代我國婦女教育、知能及就業提昇的近況，繼而分析女性在人生各階段裡應有的生涯規劃理念及如何有效地發揮女性功能之途徑，說明我國各界為配合宣導國際家庭年所做的努力，最後以最近召開國際人口會議中，針對提昇女性地位問題所作的具體建議作為結論。

國際家庭年的由來與目的

聯合國為了要喚起國際間對家庭的重視、促進世界各國改善解決家庭問題的各種方法，於一九八九年十一月八日召開第四四次大會時，就決議通過訂一九九四年為國際家庭年 (International Year of

Family 簡稱 IYF)，是年五月十五日為國際家庭日。並將國際家庭年的主題訂為：家庭－在日新月異世界中的資源與責任，主要有下列幾個訴求❶：

一、家庭是構成社會的基本單位，應該特別受到關注。

二、在各國或一國的不同社區中，家庭的型式與功能都有所不同，顯示出不同的個人喜好與社會狀況，致而國際家庭年中應探討所有家庭的需求。

三、國際家庭年的各種活動應促進個人的基本人權和根本自由。

四、實施方針將以培養家庭內之男女平等、促進家庭中責任之分擔與工作機會均等為目標。

五、國際家庭年之活動將遍及地方性、全國性、區域性及國際性，但焦點較集中在地方性和全國性的活動。

六、各種活動應促使家庭發揮其功能，而不是希望提供成果來取代家庭的功能。

七、國際家庭年的活動應持續性地在各地進行，期以各項活動來達成下列目的：

　　1.提高政府與各機構對家庭問題的重視，加強

人們對家庭功能之認識；傳播有關家庭及其成員的經濟、社會、人口學知識；探討所有家庭成員的權利與義務。

2. 加強全國性機構的功能，以發展、實施並督導家庭政策。

3. 激發人們探討、處理影響家庭狀況或受家庭狀況影響的種種問題。

4. 用展開新活動和加強既有活動的方式，增進地方、區域及全國實行特定家庭方案的效用。

5. 促進全國性及國際性私立機構之間的合作，共同支持多元性活動。

6. 用有關婦女、兒童、青少年、老人及殘障者的國際性活動的結果，以及其他與家庭或其成員有關的重要事項為活動基礎。

其重點就是「關懷世界蛻變中的每個家庭，使家庭能成為發展社會及健全社會的基本單元」。

家庭的定義、類型和功能

凡是有人類居住的地方就有家庭，家庭是人類生活最基本和最主要的社會制度。每一個人是社會這個大海裡的一點，兩個點透過婚姻、生育或收養

行為，而組成家庭，因此它是一種親屬團体，包括
兩個或兩個以上的人，由於血統、婚姻、或收養關
係而生活在一起。各民族對家庭雖有不完全相同的
定義，但其類型大致可分為三類❷：

一、聯合家庭：指兩個以上已婚兄弟和他們的父母、
　　妻子和兒女共同組成的家庭。

二、擴展家庭：指一對夫婦和已婚及未婚的兒女和
　　孫輩住在一起的家庭。

三、核心家庭：指一對夫妻和他們未婚子女所組成
　　的。

　　上述三類亦即所謂附屬擴大式、主幹式及核心
式。而現在更出現多元化的情形，如單親家庭、隔
代家庭及未婚家庭。大家都體認到美滿的家庭是健
全社會及強盛國家的基礎。李亦園先生指出：家庭
就像一個小型的社會，是有多方面的功能……人類
社會許多具有專業功能的制度，如經濟、政治、宗
教、教育等制度，最初都是以家為出發點❸。俞國華
先生在婦聯會演講時，亦指出婦女與家庭問題關係
社會的健全、國家的進步，有健全、安全的家庭，
才有安祥和諧的社會❹。

　　家庭有經濟、教育、政治、宗教、傳宗接代、

娛樂等多重功能。家庭影響到其成員的健康、人品、學識、修養和事業。換言之,個人的生存、種族的繁衍、人格的形成、風俗、文化制度的傳承及社會秩序的維持都以家庭為基礎。資訊社會繼工業社會而來,科技影響到社會的變遷,對家庭也發生了極大的衝擊。工業化的發展,物質文化與非物質文化脫節,而使家庭面臨解組的危機。人們越來越忙,越來越要求專業知識,更講求工作效率。但家庭仍是教養與保護的第一線,有愛的滋潤,是發育成長的最佳搖籃,並非任何機構所能代替的❺。人的價值觀也只有靠建全家庭的引導才不致於流失,家庭的和諧是左右社會風氣及文化傳承的關鍵點。

家庭中婦女的角色

女性佔全球人口的一半,是家庭組成重要的分子,由為人女、為人姊妹、為人妻、為人媳、為人母、為人姑到為人祖,也可以說女性為人晚輩、平輩和長輩,由小孩到成年而老年,女性都在家庭中扮演著重要角色,在每一個階段裡發揮著不同的功能。

古代我國的女子是男子的附庸者,把女人與小

人視同，〝女子無才便是德〞這種迂腐的觀念曾摧殘過中國婦女很多年代。所幸的是這種歧視已隨著民主思潮、教育普及民國誕生逐漸消除。女性的地位不但不斷地在提昇，在教育上、知能上及就業上都有良好的表現，而逐漸爭取到平等的地位。在台灣女性人口總數已達到 10,171,255，佔全部台灣人口的百分之 48.44。其中女性兒童 (0-12 歲) 佔女性人口百分之 25.08，女性青少年 (13-18 歲) 佔百分之 9.12 女性青年 (19-25 歲) 佔百分之 8.77，女性壯年 (26-50 歲) 佔百分之 38.92，女性老年 (51 歲以上) 佔分之 18.11❻。

　　根據民國 83 年內政部統計提要指出：台灣女性具有高中程度以上教育程度，已佔所有受教育人口比例的 48.17，這顯示女性受教育的機會有升高的現象❼。

　　創校四十八年來的海軍官校，民國八十三年七月宣佈開始招收女生培養女海軍軍官，陸軍官校也招收 35 位女軍官，此舉也顯示中國女性的職業領域已大有突破❽。

　　經濟因素、個人因素及就業機會的增加，使女性就業率較逐漸提高，台灣省社會處調察結果，婦女工作的比例也隨著教育程度而提高，自小學以下

程度的 46.15% 升高至研究所以上教育程度的 85.71%❾。
行政院主計處台灣地區人力資源運用調查報告顯示：
民國八十二年女性就業約佔勞動人口的 37.27%❿。主
計處八十一年人力運用統計調查報告中亦指出，就
業女性因工作關係不能親自照顧幼兒而需要他人協
助者佔40%，十五～十九歲女性勞動參與率較男性
為高，而二十五歲以上各年齡組男性均較女性高出
許多，年齡在二十～六十四歲間的男、女性差距雖
達40%以上，可見生育期女性仍有潛在就業能力⓫。

在傳統社會裡，照顧子女是女性的當然責任，
女性完全擔負養育子女的親職功能。但當女性的角
色定位及功能認同隨著社會結構及世界潮流變遷時，
女性的角色及任務亦趨多元化，面臨的壓力和挑戰
更形嚴重。在這種轉型過程衝擊下，女性在上述的
各種成長階段裡，應負什麼樣的責任？應如何扮演
好她的角色？如何作適當的調適？更如何發揮女性
的潛力？都是本文要探討的一些問題，僅就個人所
涉獵到的資訊和個人的意見，為女性人生成長的階
段提出下列的看法：

女性兒童在不能自主的情況下，降生到人間，
沒有自主權，這是處在一種完全依賴的狀況下，她

的角色、生活都是靠家庭來左右。在此一階段裡她的人格、習慣都是一片空白，面臨最重要的塑造期。在不矯縱的情況下，母親和父親都要持不放縱、和藹、無暴戾和沒有重男輕女觀念的態度來培養女兒有多運動和均衡飲食習慣，使之有健康的身体，教她欣賞音樂、學習樂器、訓練她的觀察力和注意力、培養她的創造力和想像力。最主要的是輔導、塑造女孩的個性、讓她向獨立自主、愉快、開朗、有愛心、溫柔、細心的性格方面發展，鼓勵小孩交朋友、學習與人相處、勤勞的習慣、要有競爭心、承認失敗，加以檢討、學習他人的長處，使之建立起人品和習慣的雛型，這女孩在溫暖、安祥的家庭成長，通常都會是一位身心皆健康的小孩，到入學年齡，進入學校，踏入另一個階段時，小孩子經家庭和學校共同教育、開始了解性別的差異，女孩子所表示出的徵狀就是家庭和學校的教育成果。這段時間是靠學校教師和父母親的教導和照料，母親的影響最大，所以這時期女性的角色塑造是靠為人母角色扮演得恰當與否而定。女性兒童和青少年角色的扮演通常都有母親所期望的反應。

女青少年所感的困惑是如何學習？如何接受教

育？如何適應社會？如何就男女性觀念的差異拿捏行為？除了因學業而受到壓力，身心上可能會有異常的表現外，女青少年在此段生命成長中常有反抗性，對長輩所做所為常有反感。母親更是耐心地，像朋友式地來灌輸青年人如何掌握讀書的方法、如何疏解壓力、如何把握自我，如何有理智以智慧來結交異性朋友。女性青少年應放寬心情，接納長者忠言，而能做個可以克服學習困難的學生，知理孝順的晚輩。

青年女性到適婚年齡擇人而婚時，女性常面臨雙生涯的情況，一方面是為人妻、為人女、為人媳、為人母，要負擔侍奉翁姑、協助丈夫，善盡妻職、教養子女，有許多錯綜複雜的人際關係要處理；另一方面還要在工作崗位上努力克盡己任，這時期是個充滿了挑戰性的人生階段。必須要學習掌握時間、實行規劃的技巧、保持寬容接納的態度，培養良好的溝通方式與習慣、自我省察的習慣，擔負照顧的責任，了解雙方家人的習性，培養良好的家庭氣氛，予以關愛、了解、合作和尊重。

中年女性的困擾是一方面自己的事業已發展到一個階段，孩子已經獨立、丈夫的事業穩定，父母、

翁姑均居年老体衰之齡，常須付出很大的心力來照顧他們，而自己的身体也因為生產、事業與家庭之兼顧，而有体力衰退的情形，覺得沮喪、退縮、憂鬱。在這段時候更應重拾信心，建立良好觀念，檢討過去面對未來，分析自己生活現況，設計適合自己的生涯計劃，永遠以朋友的態度待親人、對平輩相敬如賓，開朗、多學習、保持忙碌。人生歷程必須是不斷的學習而自我成長，這是再次充電的最好時機。

　　通常過了六十歲的老年女性，身體健康較差的情形也較為顯著，經常有慢性病痛的徵狀。據劉淑娟女士的說明，這個階段的女性有46%因病痛而受到參與某種活動的限制，39%因病痛無法從事主要的日常生活活動，更是感到灰心、沮喪。退休後的老伴重病須要照應，或丈夫已去世，這些衝擊是須要重新作調適，要順應"變"，保持心性開朗，以彈性、樂觀、積極的態度來維護自己的健康，自求多福、與世無爭，與子女保持朋友的關係，以不苛求、不依靠的態度，來達到以寧靜以寧人之效⓬。

核心家庭的增加對女性的影響

　　由內政部統計處所做的國民生活狀況調查報告中可知：在台灣地區的家庭組織型態，核心家庭由民國七十七年的50.3%增加至民國八十二年的55.5%，但主幹家庭（亦可稱折衷家庭）比例則由民國七十七年的26.9%減至民國八十一年的16.2%，但於民國八十二年又微升至18.5%⑬。此種趨勢或可顯示核心家庭在台灣現代化社會中普遍且增加趨勢，而這種趨勢造成照顧兒童的問題，在傳統的社會價值觀中，照顧家中兒童是女性的當然任務。女性的角色功能，甚而也因此被定位於家庭的照顧者，完全負擔養育子女的親職功能。主計處八十一年的調查統計資料亦已顯示：有六歲以下子女的有偶女性勞動參與率佔所有有偶女性的勞動參與率約42.4%⑭，這些資料充份顯示：

一、有偶女性的勞動人口增加，使家中經濟負擔不再只是由男性負擔，女性有雙生涯，也是負擔家庭經濟的一份子。

二、有配偶有子女的女性勞動人口的增加，反映出女性在家照顧幼小子女的傳統已改變，已有愈

　　來愈多的婦女須要他人的協助來照顧兒童。

　　當婦女的角色定位及功能認同隨著社會結構及觀念變遷，而有所改變時，首當其衝受到影響的，可能就是親職任務的重新界定與分工❶。然而，中外婦女即使擁有多元角色，同時承擔婚姻、家庭、職業的工作壓力，感覺負荷過重時，未想到完全放棄養育子女的任務。現代婦女在爭取個人自主權的過程中，仍和傳統女性一樣，肯定家庭及子女教養的價值與重要性，雖基於現實能力及平等考量，要求孩子的父親、政府及僱主分擔部分兒童教養的責任，亦即重新將幼兒照顧定位為家庭的任務，而非母親單方的任務。這種新的方式可以逐漸蔚為女男平等的觀念。

我國配合國際家庭年之活動舉偶

　　今年元旦教宗若望二世發表世界和平日文告，籲以家庭為建立世界和平的基礎，請各國政府和人民在重視此一家庭功能的同時，也會盡其力來維護與鞏固家庭制度❶。教宗宣示的內容〝以家為主体〞的理念與我國傳統倫理思想頗為相符。李總統登輝先生曾致函教宗，表示支持國際家庭年，以締造世

界和平之崇高理想 ❶。○連院長參加台視所舉辦「大家
舞一舞」三台連線直播節目時指出：「家齊而使國
治，國治而使天下平」，有建全的家庭才會有健全
的個人，希望全國同胞共同來響應「國際家庭年」
的活動 ❶。國民黨婦工會在國內及國外結合民間團体
及社會資源，持續地舉辦五十餘項「愛我家庭」的
系列活動，特別成立了「婦女政策研究發展中心」，
進行研究一套屬於中華民族的家庭政策，將固有家
庭倫理與現代化家庭結構結合，針對婦女問題及婦
女需求進行具体的解決方案 ❶。民間社團如林榮三基
金會、中國社會福利事業協進會、千代文教基金會、
青商會、佛教慈善事業基金會、高雄天主教玫瑰聖
母堂以及〝家和萬事福〞的祈禱會也都支援不少的
〝愛家〞活動 ❷。救國團與聯合報合辦的「家庭社會
變遷研討會」近百名產、官、學和社會各界人士、
學生、家庭主婦大談目前家庭的種種問題及因應之
道 ❷。民國八十三年九月十八日在桃園巨蛋體育館舉
行天主教國際家庭年慶祝大會，由天主教中國主教
團單國璽主教主持，教廷家庭委員會主席杜喜耀樞
機主教以宗教特使身分前來參加盛會。由以上的敘
述可見我國社會大眾及各種團体都大力嚮應推動國

際家庭年的號召。

結 語

　　事實上，女性左右家庭的功能很強，直接在國家建設和運作方面貢獻她們的知能，間接地影響了社會的福祉和國家的安定。塑造健全的女性及維護其完整的權益，的確是值得重視與慎思的問題。民國八十三年九月五日至十三日間在埃及開羅舉行聯合國人口會議時也有以下的體認：提高婦女地位來實施人口與發展的方案是最能奏效的措施。這個會議亦要確保婦女以身兼參與者及受益人雙重身份，鼓勵女性充分參與人口、衛生、教育活動，加強婦女對社會發展的貢獻。為使婦女獲得權力，應鼓勵她們參與各層次之政治活動；應消除所有不利婦女之法律、政治與社會的障礙，並應採取相關措施，改善婦女收入、獲致經濟自立自強、繼承、擁有及處理財產，以及有門路取得貸款之能力[22]。一方面女性必須要堅守在家庭中主要的職責，另一方面也必須要由接受教育及技能訓練著手，獲得法律平等的保障，參政的權利及社會上的公平待遇。這樣的挑戰是強烈的，是艱辛的，但深信以女性的耐力、毅

力、恒心與愛心是可以克服重重困難，發揮最大的
功能，達到修身、齊家、治國、平天下的目的。

附註

❶林妙玲，「國計家庭年宣言」，社區發展季刊，64 期
(民國 82 年 12 月)：頁 184-192；"1994 proclaimed Year of the
Family", *UN Chronicle 27* (March 1990): 78

❷李亦園，「人不能沒有家」，緊握自己的方向，(台北：
正中書局，民國 71 年)，頁 2-12。

❸同上註，頁 2。

❹俞國華，「婦女與家庭在現在國家中所擔任的角色」，
中華婦女 第 44 卷第 3 期 (民國 83 年 6 月)：9-10。

❺鄭淑燕，「健全家庭功能以落實兒童福利」，社會建設
87 期 (民國 83 年 7 月)：9-14。

❻內政部統計處編，「台閩地區人口之年齡」，內政部統
計提要 (民國 83 年)，頁 56-57，表 17。

❼內政部統計處編，「台閩地區六歲以上人口之教育程度」
，內政部統計提要，(民國 83 年)，頁 66-69，表 18、19。

❽「海軍官校今年招收廿名女性」，中央日報 (民國 83 年 7
月 29 日)：第 3 版。
「卅六位女生接受革命洗禮」，中央日報 (民國 83 年 9
月 7 日)：第 5 版。

❾台灣省政府社會處編，台灣省婦女統計，(台北：該處，

民國 79 年）。

⑩ 行政院主計處編，「台灣地區歷年人力資源調查重要項目季節調整結果」，台灣地區人力資源統計月報，第 248 期（民國 83 年 6 月）：104-105 表58。

⑪ 行政院主計處編，中華民國 81 年台灣地區人力運用調查報告（台北：該處，民國 82 年）

⑫ 劉淑娟，「退而不休」，走過女性一生；（台北：遠流出版事業股份有限公司，民國 78 年），頁 149。

⑬ 內政部統計處編，中華民國台灣地區國民生活狀況調查報告，（台北：該處，民國 79 年～82 年）；
馮燕，「加強家庭照顧與保護功能的福利制度」，社會建設 87 期（民國 83 年 7 月）：29-37。

⑭ 行政院主計處編，中華民國 81 年台灣地區人力運用調查報告（台北：該處，民國 82 年）

⑮ Bih-Er Chou, Carl and Janet Clark, " The Changing Role of the Family in the Making of Political Women in Taiwan: Generational Differences in Women's Political Socialization" *National Science Council, ROC Part C: Humanities and Social Sciences* (1992) 2(2): 165-178;
張忠瑜，「台灣婦女社會、經濟地位在家庭與社會中的改變」婦女雜誌，282 期（民國 81 年 3 月）：63-65。

⑯ 「教宗發表世界和平日文告」，中央日報（民國 83 年 1 月 2 日）：第 7 版。

⑰ 「教宗發起『國際家庭年』」，中央日報（民國 83 年 1

月 5 日) : 第 4 版 。

⓲「連揆籲全民響應家庭年活動」，青年日報 (民國 83 年 5 月 16 日) : 第 1 版 。

⓳「婦工會將研訂一套屬於中華民族家庭政策」，中央日報 (民國 83 年 5 月 16 日) : 第 4 版 。

⓴有「國際家庭日應景活動」，聯合報 (民國 83 年 5 月 15 日) : 第 1 版 ;「國際家庭日數千個家庭豔陽下享親情」，聯合報 (民國 83 年 5 月 16 日) 。

㉑「變故的家我們很少伸出援手」，聯合報 (民國 83 年 5 月 15 日) 。

㉒「世界人口會議在開羅揭幕」，中央日報 (民國 83 年 9 月 5 日) : 第 9 版 。

本文曾刊於＜社會建設季刊＞，第 89 期 (民國 84 年 1 月):19～25 。

規劃生涯之理念

　　資訊爆發時代的來臨，促使知識的攝取由單元變成多元。由單一學科的專長走向科際 (Interdisciplinary) 整合化。學一行不夠，需要多學科的知識來輔助本行專業的知能。基礎的階段性教育—小學、中學、大學、研究所結束以後，並不是教育的結束。學生時代當然是在求學問，在工作時則將所學者加以應用，在工作上求理論與實務的印證，不斷地求知，不斷地充實自己，才能在這個多元化的社會裡走出一條為自己所滿意，而又有益於社會及國家的道路。

　　當我在民國四十四年畢業於臺大外文系時，因為父親一輩子清廉，家境清苦，我只想有一份能夠利用我外文能力，供養年邁父母親生活的工作就行了。考取行政院美援會去服務後，逐漸感到所學的是「外國文學」，在應用上並不能因應工作的要求。在工作上所用的外文只是一種工具，並沒有機會來長展文學造詣。為了因應工作的需要，我需要加強學習職務上要用的外文。

　　我當時也感到有一種專業訓練的需要，基於對

「百年樹人」重要性的體認，而選擇了教育作為我研究的重點。深幸在新亞學院一年、臺大三年的大學教育中，獲得較廣的人文學科教育，作為我準備接受專業教育的基礎，再加上外國語文為工具，使我在學習及研究教育專業課程時倍覺得心應手。

當時國內大學教育仍舊是筆記取向，到美國奧立岡大學入教育研究所時，須自己發掘問題，一切靠自己找資料，自己研究。這時突然發覺圖書館是知識的寶庫，有取之不盡、用之不絕的資源。要促進研究，需要掌握如何針對研究人員的需要，整理、管理、收集資料，便於使用。

由於圖書館是人類知識水庫，而圖書館學是開啟此庫的鑰匙。圖書管理的重要性使我毅然決定要掌握時間，改修圖書館學。在圖書館學研究所讓我又體認到，我的外文能力和教育專業知能都有助我圖書館學的研究，使我可以很快速地閱覽西文文獻，掌握管理原則。一方面讀書，一方面在圖書館實習，從事相關工作，將教育理論與圖書館實務予以相互配合，發揮圖書館的教育功能，利用教育心理學的理論來提昇圖書館員對讀者服務的水準。

在哈佛燕京圖書館服務時，則以學徒的方式學

習傳統的目錄學和版本學，彌補在國外接受專業訓練及不知中國圖書館內涵的不足。返國教書時更感到受惠於各種學科研究之處不少，並乘著暑假進修相關學科，例如檔案學、圖書館建築等等。民國六十年代資訊科學崛起，我又到英國研習圖書館自動化作業，奠定我發起中文圖書自動化的決心。到民國六十九年，年達四十七歲時，再到美國印地安那大學圖書館學與資訊科學研究所，專攻資訊科學三年，獲得博士學位。在進修期中，我深深感到知識整合的效益。蒙　總統提名擔任考試委員以後，除了我的專業以外，我更努力地研究公共行政和人事學，所獲得的心得使我更能稱職。

在我一生的求學和工作的歷程中，「學無止境」，及「學而時習之」終生教育的理念主導了我的生涯規劃，我一生中都抓住每個機會去學習，不斷地學，不斷地攝取新知。各種知識的融匯貫通使我成長而能貢獻得更多，自己滿意的程度也越高。

我的家境小康，但我掌握每一個學習機會；事實上有很多不需要花錢的學習機會，待我們去利用。人生的挑戰甚多，我們要體認人生就是永無止境地去面對這些挑戰，畢業後不是求知的結束，而是追

求更多科際知識，整合地利用各種學科知識的開始。
我的生涯就是在這種觀念下規劃，而獲得了我服務
社會，為國效力的機會，在每一種職業上發揮了不
同角色的功能，而善盡職守。

本文曾刊於經濟日報編＜社會新鮮人生涯規劃專書＞，（台北：
該報，民國83年），頁153～155.

索　引

【七　畫】

【八　畫】

【 十　　畫 】

【十二畫】

【 十 三 畫 】

【十四畫】

INDEX

A

B

C

D

國家圖書館出版品預行編目資料

考銓與圖資之省思

／張鼎鍾著.--初版.--臺北市：
臺灣學生，民85
面： 公分
ISBN 957-15-0759-8(精裝).
ISBN 957-15-0760-1(平裝)

1.圖書館學－論文，講詞等
2.資訊科學－論文，講詞等
3.人事制度－論文，講詞等

020.7   85005601

考銓與圖資之省思　　（全一冊）

著 作 者：張　　　鼎　　　鍾
出 版 者：臺 灣 學 生 書 局
發 行 人：丁　　　文　　　治
發 行 所：臺 灣 學 生 書 局
　　　　　臺 北 市 和 平 東 路 一 段 一 九 八 號
　　　　　郵 政 劃 撥 帳 號 ○ ○ ○ 二 四 六 八 號
　　　　　電　話：三 六 三 四 一 五 六
　　　　　傳　眞：三 六 三 六 三 三 四
本書局登
記證字號：行政院新聞局局版臺業字第一一○○號
印 刷 所：常 新 印 刷 有 限 公 司
　　　　　地　址：板 橋 市 翠 華 街 8 巷 13 號
　　　　　電　話：九 五 二 四 二 一 九

定價　精裝新臺幣三七○元
　　　平裝新臺幣三○○元

中 華 民 國 八 十 五 年 六 月 初 版

02707　　版權所有・翻印必究